JN044551

キリストを伝えるための核心とヒント

■信徒宣教者の手引き

ジョルジュ・ネラン 著
ネラン塾OB・OG会 編

「全てのキリスト教徒は、洗礼によってイエス・キリストにおいて神の愛を受け、福音宣教する使徒である」

（フランシスコ教皇による２０２２年３月公布、６月発効の教令『新使徒憲章』前文より）

まえがきに代えて

キリスト教とは何か、について答えてみたいと思います。

まず、キリスト教は思想体系ではないかと考えられます。それはすなわち、キリスト教は世界の存在理由とその目的、そして特に人間の存在理由とその目的を教えているからです。人間とは何かという問題に関して、キリスト教は一種の人生観を指し示すのです。しかし、キリスト教の一面としてそのような思想体系があるとしても、キリスト教そのものは、思想体系とは違います。キリスト教の中心はキリスト自身だからです。まずキリスト自身がいて、その言動が人間の存在理由を指し示しているのです。

キリスト教はまた、道徳体系ではないかと考えられます。そのもろもろの道徳を集約して言うなら、キリスト教は「愛」を教えていることになるでしょう。愛を土台とし、それゆえに十戒を守るよう、教えているのです。もっとも、「キリスト教が愛を教えている」と言ってもそれは、キリスト教の核心が愛であるという意味ではありません。キリスト教の核心はキリスト自身だからです。まずキリスト自身がいて、その生涯を通じ、人々に愛し合うよう求めているのです。

さらにまたキリスト教は、その呼び名が示すように〝キリストの教え〟なのでしょうか。いえ、そうとは限りません。キリスト教は〝キリストの教え〟というよりは、「キリストに関する教え」です。したがって、キリストが何を教えたかということよりも、「キリストはどういう方であるか」という問題の方がはるかに重要なのです。

〈2000年前に生きていたキリストが今もなお、神の子として生きている〉という信仰が、キリスト教の土台です。言い換えれば「十字架上で死んだキリストは、今でも生きている」ということであり、これこそがキリスト教の中心です。

そのことを信じようと信じまいと、キリストが歴史上の人物であり、キリスト教が人類の歴史と結びついていることに異を唱える人はいないでしょう。キリスト自身の存在とその活動は、歴史上の出来事です。そして他の歴史上の出来事と同じように、その史実は目撃者の証言によって、現代に生きる私たちに伝えられています。キリストへの信仰は、哲学的な理論の結論によるのではなく、伝えられた史実によるものです。

2000年前に生きていたキリストの言動は、そのときから今日に至るまで途切れることなく、ある種のマス・メディアによって報道されています。キリストのことを伝えるメディアの代表格はまず、福音書です。福音書はキリストの姿を描き出した記録なので、私たちにとって「キリストとの出会いの場」にもなります。キリストに近づこうと思う人は、福音書を読み研究することによって「キリストはどういう方であるか」を理解することができます。またキリストを信じる人は、その信仰を深めることもできます。

今日のミサで朗読された福音書の箇所は、キリストの権威を物語っています。「わたしよりも父や母を愛する者は、わたしの弟子に値しない」とキリストは言われました。キリストを信じることは、キリストが絶対であることを意味するのです。パウロも言っているように、どんなすばらしいものも、キリストと比べれば塵芥(ちりあくた)に過ぎないことになります。

それでは、キリストに近づくのは難しいことでしょうか。「疲れている人や重荷を負っている人は、誰でもわたしのもとに来なさい」とキリストは言っておられます。皆さん、私たちの生き甲斐であるキリストを伝えるために隣人の扉をノックするとき、どうかキリストのこの言葉を心のうちに留めておいてください。

（G・ネラン神父の言葉／「エポペ」8周年ミサ時の説教より）

キリストを伝えるための核心とヒント

信徒宣教者の手引き――目次

第Ⅱ章　教会の使命と信徒の働き

第2節　キリストが望む信徒像　195

序章　歴史上のキリスト

キリストとはどういう方なのか

その人の名はイエス、「キリスト」は『救う人』の意

キリスト教を説明しようとするなら、キリスト自身の歴史的位置づけから始めるのが自然だろう。キリストの活動を時代的に考察することはキリスト教にとって最も重要な問題だからである。それを別にしても、『教祖』の生涯をまず語ることについては、どなたにも異存はないと思われる。

さて、キリストはおよそ２０００年前、ローマ帝国の植民地、地中海の東端にあるパレスチナで、ユダヤ人の子として生まれた。そして自分の教えが権力者の逆鱗（げきりん）に触れ、同地を支配していたローマ人の手で磔（はりつけ）にされた——と、ここまでなら誰でも知っている。

もっとも、イエス（ギリシャ語のIĒSOŪSの日本語読み）と呼ばれる人物はキリスト以外にも少なくないし、「キリスト」という言葉に至っては人名ですらない。ユダヤ人の日常言語であるヘブライ語で「キリスト」は「救う者」を意味する。「キリスト」（ギリシャ語のCHRĪSTÓS、ヘブライ語の「メシア」の邦訳）は名前ではなく、或る種の「位（くらい）」を指す。したがって「イエス・キリスト」という呼び名は「救い主であるイエスさん」の意である。しかしわが国では通常、イエスの名称と理解されているので、本書ではそれに従うことにする。ただし、文脈の上で使い分けが必要と

なる場合は「イエス」と「キリスト」の別を選択して使用することもある。そのときは筆者の意思にお付き合い願いたい。

イエスが実在したことに疑いはない。しかし、彼の生年月日は明らかでない。西暦はキリストの誕生から始まるので、キリストの生まれた年は決まっているかに見えるが、実際のところは、ローマの創設からキリストの誕生へ紀元を移した時点（6世紀）で間違いが起こった。またキリスト誕生の時を決めるデータが乏しいという事情もあるが、筆者は今、この込み入った問題を詳述しようとは思わない。

ただ、こうは言える。すなわち、キリストが紀元前2年に生まれていたことは確かである。歴史家は紀元前10年から紀元前2年の間にキリストの誕生を置く。中でも紀元前4年、5年誕生説を唱える研究者がかなり多い。因み（ちな）に現代のクリスマス（降誕祭）にしても、世間では「12月25日」で通っているが、そこに歴史的根拠があるわけではない。それは4世紀に決められた日付に過ぎない。

イエスの幼少時代と青年時代については、ほとんど何も知られていない。分かっているのは「パレスチナの北方の州、ガリラヤのナザレという村で、大工として30代までを過ごした」ということくらいである。イエスが、教師として活動し始めたのは30代になってからのことだ。その時点からの生涯を「公生活」と言うが、その公生活の長さについても、研究者らの意見は多少違う。短いと思う人は6ヵ月、長いと思う人は4年と主張し、多くは2年半程度と考えている。

公生活の内容については後で述べることにして、ここでは「キリストの死」の時期について考えよう。やはり、それについても明確にはなっていない。キリストが十字架につけられたのは確かに、ピラトがローマ総督の任にあったときである。その時は西暦26年から36年までの11年間。春の最初の満月の日、金曜日だったと言われている。それを勘案すると、キリストの死はおそらく西暦30年の4月7日になる。それが確かな日とは言えないが、一応考えられる日ではある。

要するに、キリストの誕生も死も、現在のところ明確な「日」は得られていない。しかし、見解によって揺れ動くのは、２０００年の歴史に照らせば極めて狭い33年余りの間であり、キリストの存在そのものを動かすものではない。

革命の発端はイエスの降誕だった

歴史上に佇む私たち

考古学者によれば、人類の〝年齢〟は少なくとも50万歳だという。すなわち人類がこの地上に現われてから50万年が経過したことになる。キリストが生まれたのは２０００年前の出来事である。したがってキリスト教の〝年齢〟など、人類のそれと比べればごく短いものでしかない。

しかも日本が本格的にキリスト教と接触し始めたのは、たかだか200年前のことだ。日本人にとって、キリスト教はどちらかと言えば〝新しいもの〟である。にもかかわらず、その短期間にキリスト教は、日本の文化に強い影響を与え、日本文化全体に沁みわたった、と言っても過言ではないと思われる。

例えば、憲法。戦後の日本人が金科玉条とし、敬愛している憲法は、キリスト教精神の上に立っているものではないか。私は法律家ではないので、それを専門的に証明することはできないが、少なくとも「日本国憲法」は人間平等の思想に基づいている。人間平等思想が生んだ法律の下で、全国民が平等な扱いを受け、身分によって扱いが変わることはない。明治以前は言うに及ばず、戦前の日本人にそんな「平等」意識があっただろうか。あったのは封建制度の残滓か、天皇制が求める厳しい階級制度だったのではないか。

日本だけではない。世界中どの地域にもどの国にも、キリスト教の普及以前に「平等」という概念はなかった。実際、歴史の隅々まで探しても見当たらないのだ。欧米には奴隷制度があったし、インドにはカースト制度があった。そんな世界のどこにも、平等は存在しなかった。それを考えれば、キリスト教の最も貴重な人類への贈り物は「人間の平等」ではなかったかろうか。そして一度その贈り物を戴いた人々はもう、それを「決して捨てられない宝」として、大事に守っているのである。

無意識のうちに受容されているキリスト教

だから今日、私たちは「人間の平等」あるいは「人間の尊重」を当然のこととわきまえ、「人間は人間であるがゆえに尊敬されるべきだ」と、何の抵抗もなく考えている。「人間は生きる権利、学ぶ権利、自由に考える権利を持っている」と考えているのだ。

ところが、それらを誰が教えたのか、なぜ人間にはそれらの権利があると考えるのか、それらの権利を実現に導く力はどこにあるのか――と問われると、ハタと答えに窮（きゅう）する。そして「人間尊重の根源と、それを実現する原動力はキリスト教のほかにない」と指摘されて初めて、日本人はキリスト教の真価に気づくことになる。

この論法にはいささか飛躍があるとお思いだろうか。しかし私は敢（あ）えて答える。すなわち、2000年前という歴史の一点で、この世に生を受けた人間の一人は、同時に神の子でもあった。その事実を目のあたりにしながら彼と同時代を生き、彼を信じた人々は、〈全ての創り主である神と、創造物の一つである人間の関係〉を認め、それ以前の人間観が覆るのを自覚することになる。もはや「人間」とは、ギリシャ哲学者が言ったように〝単に優れた動物〟などではなく、〝無常観に包まれた儚（はかな）い存在〟でもなく、〈絶対者に憧れ、それに向かって進む存在〉となったのだ。

もちろん、人間尊重を唱える現代人の誰もがキリスト者というわけではないし、『人間尊重という概念はキリスト教が生んだ』と意識することも稀（まれ）だが、現代人が無意識のうちにキリスト教的な価値観を身に付けたのは事実である。また「人は大切にされるべきだ」という道徳観がキリスト教独自の特徴というわけでもない。『人として自然な見方である』と言っても差し支えはなさそうだ。しかし、キリスト教ほど声を大にして隣人愛を讃(たた)える教えはない。

キリスト教は単に「愛」を教えるばかりでなく、その理由をも明らかにする。例えば現代人を取り巻く環境として病院があり、孤児院もあり、組合もある。すなわち病人、孤児、貧しい人──言い換えれば「弱者」──を助けるための制度がある。我々はそれを当然のように考えているが、キリスト教以前にこれらの施設は制度として存在していなかった。キリスト教が初めてそれらの必要を説き、実現させたのである。

もっともそれは、キリスト教が「幸いなるかな、貧しき人」と明言し続けたからではなく、神の子が「貧しい人」として生まれたからだ。〈貧しいキリストの誕生〉それ自体が、「貧しい人も私たちの兄弟であること」を声高く語るのである。現代でもなお、弱い者を助けようとする人の全てが〝クリスマス（キリストの誕生）〟の教訓を身に付けているわけではないが、いずれにしても無意識のうちに、キリスト教の力によって隣人を大切し、骨身を惜しまぬ愛を捧げて「よりよい社会」を作ろうとしている。

現代人の行動を決定づける基準

もう一つのことを取り上げてみたい。若い世代にとって、恋愛は重要な関心事に違いない。そしてその分野にも、キリスト教は大きな影響を与えている。それは〝一夫多妻〟を禁じたことだけではない。現代人は「恋愛を結婚から切り離して考えられなくなった」という事実がある。もちろん、恋愛が必ず結婚に到達するとは言わないが、少なくとも恋愛の到達点として結婚を描いている若者は多いはずだ。結婚しても場合によって離婚となるケースもあるだろうが、それが良いことであるとは誰も考えていない。いったい誰が、結婚する時点で『将来離婚しよう』などと思うだろうか。

現代人が持つこのような考え方――結婚は愛の実現であり、愛は絶対であり、永遠であるという信念――、つまり現代の恋愛論は、キリスト教の恋愛論に近い。キリスト自身を知らない日本人も、今日ではキリスト教的な思想を胸の奥深くまで吸い込み、あらゆる面でキリスト教的な文化を心の内に築いている。要するに、「日本人はキリストを知らない」と言われているが、常にキリスト教の影響の下に生きているのである。

私の観るところ、日本人の日常生活が全面的にキリスト教化されたとは思わない。〝献身的な愛〟だけがキリスト教信者の行動指針ではないし、キリスト自身との出会いにまで達しない限り、真にキリスト教を掴(つか)むことはできないからだ。

しかし、少なくとも次のように言うことはできる。すなわち、「政治問題においても国際問題においても、社会問題においても、家庭問題においても、現代人の行動を決定づける基準はキリスト教の価値観である」という事実だ。それは単に現代の日本人が持つ「道徳観」と、キリストが示す「人の生きるべき道」の間に共通性があるというだけではない。現代日本人の人生観はキリスト教的な人生観そのものである。例えば現代人の「美の観念」はもはや、日本伝統の耽美主義にとどまらず、人間全体——その運命と生の意義——を描き出す『人間像』を含み、人々はそれを求めている。学生がどういう本を好んで読み、どういう映画を好んで観るか、そしてどういった人物を尊敬しているかを調べれば、それは瞬時に明らかとなる。キリスト教の影響がどれほど奥深く浸透しているかが分かるのだ。

時代と地域を問わず生き続けて

ところで、日本文化がキリスト教の影響を受けていることを肯定するとして、「キリスト教的要素が当たり前となった今、キリスト教はその役割を果たしてしまった」と言うべきだろうか。現代文化を形成した源泉と認められたとしても、必ずしもキリスト教が日本において将来性を持つとは言えないのではないか——それを考えるために、一例を挙げてみよう。

最近のヨーロッパで、ＥＣ（かつてのＥＥＣ＝ヨーロッパ×経済×共同体）は加盟諸国の意思統一を図ることに成功しているが、ＥＥＣ時代はその内部にかなり問題を孕む組織体だった。しかも問題の多くは抽象的な理念などではなく、具体的・功利的な問題だった。ＥＥＣがあまりにも経済原則からはみ出すので、日本人学者の中には「ＥＥＣの理念など実現するはずがない」という見方さえあったし、共同体の成長過程でも『この共同体には何かわけの分からない要素がある』と感じる学者が少なくなかった。キリスト教に縁のない日本人経済学者らが奇異に感じたのは当然だったかもしれない。ＥＥＣが体現する非経済的な要素――しかも全体を貫く要素――は、やはりキリスト教精神だったからである。

言うまでもなく、キリスト教は経済学を教えるわけではない。しかし「共同体」という観念は、キリスト教の産物だ。すなわち、〈人格という観念は「個人を超えて社会へ奉仕する者」であることを意味する〉、〈共同体は〝個人の利益の塊(かたまり)〟ではなく、「個人の総和以上のもの」である〉などは、いずれもキリスト教から生まれた考えである。そういう観念がなければ、ＥＥＣ（現・ＥＵ）の実現はあり得なかった。

右に見たように、キリスト教は経済をも活かす。とすれば、キリスト教の力は今もなお（そして将来でさえも）衰えていないし、〝無用の長物〟と化す惧(おそ)れはないと言えるだろう。

前述したように、長い人類の歴史の中では〝ごく最近〟とも言える２０００年前、不思議な現象が起こった。それが、キリストという人物の誕生と、その言動を通した教えの広がり、つまりキリスト教の誕生だ。それは革命に似たものだった。キリストの教えを信じ彼の後に続いた人々の共同体は、地中海の片隅に生まれた後、次第に拡大し、地の果てにまで及んだ。そしてどんな時代にもどんな地域でも、伝播の勢いは衰えることがなかった。行く先々でその国の〝神々〟を消し、価値観を覆した。迫害されても死なず、追い出されても必ずその地に残ってきた。キリスト教の真髄をいささかでも掴んだ国と国民は「自由」「愛」「絶対」という貴重な宝を決して離さない。

その革命の渦の中にいる私たちにおいて、革命は進行中である。私たちがその出発点を思い起こすのは極めて当然のことだろう。そしてその革命の発端を、私たちは「クリスマス」と呼ぶ。

史実としてのキリスト誕生

毎年クリスマスを迎えると、教会の降誕祭ミサでは「イエスの誕生」を証（あか）す福音書の一節が読まれる。福音書の記者はマタイ、マルコ、ルカ、ヨハネの4人だが、例えばルカが書いた「イエス誕生」の箇所は、多分にルカの個人的な色彩を帯びている。言い換えれば、ルカ独自の表現手法が「キリストの誕生」を述べるうえで大いに影響している。ミサに参加した会衆としては、まずこの点をはっきり理解しておくことが必要だ。

クリスマスを迎えるとき、私たちの信仰は、キリストの降誕が〈旧約時代を通して預言された「神が人間を救う」という約束の、実現の始まり〉であるとともに、「イエスが処女マリアからお生まれになった」ことを意識する。クリスマスに関して「信じるべきこと」はそれしかない。もし誰かが『天使は本当にルカの言ったように歌ったのだろうか』という疑問を持ったとしても、その人は自分の信仰を裏切ったわけではない。また、もし誰かが『ルカの記述は想像力が大き過ぎるのではないか』と思ったとしても、それが信仰に反するということにはならない。信仰箇条となる史実は「キリストが処女マリアからお生まれになった」ということだけであるからだ。

さらにキリスト教の伝統は、ルカの手法に倣（なら）って、私たちの気づかない点を補ってきた。例えば前述のように、「イエスが12月25日に誕生した」とは福音書のどこにも書かれていない。また私たちがクリスマスの季節に教会施設内でよく目にする〝馬小屋の模型〟や〝牛の彫り物〟などは、信者の旺盛な想像力から生まれたものに過ぎない。したがって私たちは、クリスマスを彩る〝感情的で子どもっぽい環境〟に騙されることなく、クリスマスにおける唯一の真理を真剣に考えなければならない。それは言うまでもなく「真の神から遣わされた、真の救い主たるイエス・キリストの誕生」だ。

　その生年月日が明らかであるかどうかに関係なく、キリストの誕生は史実である。そして、その歴史性は信仰と密接に結ばれている。キリスト教は〝代々伝えられてきたすばらしい教え〟であるばかりでなく、「真に生まれ、真に生き、真に死んだ『人たるイエス』を認める」という判断に基づいているのだ。もしもイエスの生涯と信仰を切り離し、キリスト教を単に〝博愛を教える漠然としたクリスチャニズム〟と考えるなら、その定義はキリスト教の真髄を見誤っている、否、キリスト教自体を否定することになる。キリスト教の核心はあくまでもイエス・キリスト自身なのだから。

　繰り返すが、キリストの誕生は史実である。その史実は、世界史の教科書の中では小さなスペースを占めるに過ぎないが、実際は世界史上、最も重要な出来事なのである。歴史を見てみよう。キリスト教は世界に拡がるにつれて新しい文化に出会うとき、その文化に「新しい意味」をもたらした。例えば、キリスト教がギリシャ文化に出会ったときそれを包含し、ギリシャ文化に『新しい命』を与えた。今日ではキリスト教の見方を通さずにギリシャ文化を眺めることはほとんど不可能だ。キリスト教はギリシャ文化にそれほどの影響を与えた。

その現象はギリシャ文化に限らない。〝キリスト教との出会いを体験していない文化〟はあっても、現代世界に〝キリスト教を知らない文化〟はない。しかも、諸文化を一致させようと試みる現代人は、その知恵をもって、ある種の〝共通文化〟を築こうとしてきた。そして、その理想となる「社会」や「人間像」はどれも、まさにキリスト教を母胎としたものに他ならない。

敢えて例示するなら、「人間尊重」という言葉は、人類が貧乏なイエスから教わった概念であり、「博愛」や「社会主義」の定義とその意味内容もまた、イエスの教えから借りたものだ。「自由」はキリストの賜物であり、「平和」はクリスマスのメッセージそのものである。

もちろん、そのような概念に共鳴してスローガンを唱える人の全てが『それらはキリスト教の財産だ』と知っているわけではない。しかし私たちは、そこにキリストの力が現われていることを知っている。そしてそのような「現代人が理想とする社会」は、キリストの力によってのみ実現され得ることを確信している。要するに、世界の将来の鍵を握っているものはキリスト教だけなのである。

そのように考えれば、キリストの誕生は個人の信仰レベルの出来事であるばかりでなく、全人類の歴史の中心であることが分かる。すなわち、キリスト教信仰は人類の歴史にその真の意義を与える。歴史の展開は神の計画の実現であるからだ。愛そのものである神の計画は、〈人間を罪から救い、一致させるという神自身の使命や喜びに人間が参加すること〉に他ならない。

その意味で私たちは、「神の計画がクリスマスの日に実現段階に入った」ということを意識しなければならない。キリスト誕生の記念日に、私たちは「神の意思の顕われ」を眺めることができる。同時に、「人間とは何であるか」を教わることもできる。この日に生まれたこの「真の人」は、同時に「神」である。その神秘的な真実によって、私たちは「人間の価値」を知ることができるのだ。

人間は〝今日美しく咲いているが、明日はしおれる花〟のようなものではない。「キリストによって、永遠に生きるもの」なのだ。人間の一生はしばしば〝一本の葦〟に例えられるが、正確に言うなら「キリストに根差して永遠に生きる葦」である。生きることの真の価値をキリストに求め、それによって得た価値を確固たるものとすることができるのが私たち人間なのだ。

実際、幼いイエスを眺め、その幼子を通して人間世界を見ると、悩みや苦しみに満ちた世界を根底から変革する、大きな希望と救いの灯火を見出すことができる。幼子イエスの姿は、キリストが人間にとって唯一の救い主そのものであることを意味しているのである。キリストはその誕生の瞬間から、私たちにとって「神の子」だった。まだ喋ることもできない幼子イエスが「アバ、父よ」という『神を呼び掛けるときのキリスト者の呼び方』を教えてくれている。私たちが父なる神から招かれていること——聖父と聖子と聖霊との交わりに与るように招かれた者であること——を、幼子イエスは無言のうちに教える。

イエスが貧しい家庭に生まれたという史実から、「金と身分が人間の尺度ではない」ことを学ぼう。宿屋から追い出されたイエスに想いを馳せ、その場面に「侮辱されている全ての貧しい人」の姿を見よう。キリスト教は〈貧しい人の威厳〉が簡単に忘れられてしまうことを看過しない。私たちはイエス誕生とその幼児時代が雄弁に示唆する教訓に、謙虚に耳を傾ける。しかし現実となると、学生時代には純粋に貧しい人の生き方へ敬意を払いながら、社会人となるや自分の給料の多寡がもっぱらの関心事となる若者のなんと多いことか。『自分は貧しい人への敬意を失っている』と気づいたとき、ベツレヘムに生まれた幼子の教訓を思い出していただきたい。

「神の子」誕生の意義

歴史性

キリスト教の核心はキリスト自身である。それはキリストの存在力が超歴史的であることを前提とする。もちろん、キリストは歴史上の人間でもある。日本の年号に相当する「皇帝の統治期間」で言うなら、キリストはアウグストトスの治世中に生まれ、チベリウスの治世中に死んだ。西暦で言えばキリストは西暦前5年頃に生まれ、西暦後30年4月7日に死んだ。繰り返して言うが、キリストは単に教祖というよりは、キリスト教の基礎であり、キリスト教の中心である。したがってキリスト教信徒の信仰の対象は「キリスト自身」である。それは「キリストが死を乗り越えて今もなお生きている」ことを前提とする。キリストは「超越的に存在する」のである。

キリスト教の特徴である「神」――超越的に生きる者――の存在が、キリスト教以外の宗教でも認められていないわけではない。また「神」という概念には及ばずとも〝人間を超える存在〟を覚知し、畏怖してその存在を崇め礼拝する宗教も珍しいことではない。

一方、キリストの歴史性は、「2000年前に生きていた人間が、同時に『神の子』である」と信じることによってその特性を示している。「神の子」という聖書の表現を現代の言葉に置き換えれば、キリストの「神性」ということになる。したがって、キリストには人性も神性もあるのである。

古文書が証す信仰告白

西暦110年頃、アンチオケの司教だったイグナチオは、エペソの教会への手紙でこう書いた。「ここには一人の医者あるのみ。肉にも霊にも、生を受けたるものにも受けざるものにも。それは肉となりたる神、死より出し真の生命。マリアより、また神より先に苦しみを受け、後に苦しみを越えしもの。すなわち、わが主イエス・キリスト。」

この文中で、キリストの存在は明らかに二つの次元によって解明されている。一つの次元として「肉・マリアよりの誕生・そして十字架の苦しみ」。それらはキリストの人性を示す。他方、もう一つの次元として「霊・永遠の生命・死の超越」。それらはキリストの神性を示す。

この信仰告白は新約聖書成立後の最も古い文献に出ているものだが、現代人の信仰と完全に合致している。アンチオケのイグナチオにおいても現代のキリスト信徒においても、「キリストを信じる」とは「キリストに人性と神性とがある」と認めることなのだ。

それを信じることは確かに難しい。しかし仮にキリストに人性がなければ、キリストの言動は私たち人間の世界からかけ離れたものとなり、結局のところ神話に過ぎなくなってしまう。また、もしキリストに神性がなければ、彼は偉大な人間とは認められるかもしれないが、全人類のリーダーにはなり得ない。

すなわち、人性がなければキリストは〝非現実の天使〟になってしまい、神性がなければキリストは〝単なる偉人〟で終わる。

神学的考察

右に述べたように、キリストには「人性」と「神性」とがある。そして、人性を通して神性が現われる。言い換えれば、神はキリストにおいて自らを啓示する。したがって人間は、キリストを通して神の心を知ることができる。「わたしを見た人は父なる神を見たのだ」とキリスト自身が言っている。

　またキリストによって、「絶対性」あるいは「永遠性」が歴史の中に採り入れられた。その結果、人間の歴史は単にくるくる回るものではなく、キリストによって意義を帯び、目的を持つことになった。

　そのようにして人間の行為は現身（うつせみ）の世を乗り越え、絶対性に与ることになる。キリストを通して初めて、人間の共同体はその存在理由とその目的を見出すことができるのだ。

　かくて、クリスマスはキリストの誕生を記念する日であるとともに、人間に真の生き甲斐を与える「新世界」誕生の記念日ともなるのである。

4人の福音記者が描くキリスト

一つの譬え

　4人の画家が注文を受けた、「あの人物の肖像を描いてほしい」と。4人の画家たちはそれぞれ、その人物の姿よりも、その人物が持つ『内面的な魅力』を表現しようとした。それぞれの手法も違ったし、人物の精神の捉え方も違ったので、4つの異なった肖像画が出来上がった。異なっているけれども、描かれた対象は同じ人物であり、いずれの肖像もその人物の内面を忠実に表わしている――　その人物はイエス・キリスト、肖像画は福音書である。4人の画家とはそれぞれマルコ、マタイ、ルカ、ヨハネ。以下、４人の福音記者が描いたキリストの肖像を鑑賞してみよう。

マルコ

マルコはイエスが死んで40年くらい後に筆を執った。すでに書かれていた史料を使ったはずだが、その史料は後世に知られていない。

マルコが書いた福音書は福音に関する最初の記録である。換言すれば、マルコは「福音書」という新しい文学形態を創り出した。福音書とは、そもそも〝イエスに関する伝記〟ではなく、「イエスの肖像」なのである。

もちろん、マルコ福音書はイエスの言動を伝える。そしてその文体には特徴がある。マルコはイエスに敬服しているが、その感情を露わにしない。出来事を客観的に述べるだけだ。一例を挙げよう。

「イエスは通りがかりにアルファイの子レビが収税所に座っているのを見かけて『わたしに従いなさい』と言った。彼は立ち上がってイエスに従った」

この部分を読む私たちは、イエスの意図やレビの気持ちを知りたいと思うが、マルコはそれには触れていない。

マルコの筆法を当世風に言えば、新聞記者の書き方に似ている。形容詞や感情的な言葉を極力使わず、事実だけを伝える。ドライな文体だが、この書き方こそが迫力のある文章を生み出している。

マルコはイエスのアイデンティティーを隠さない。1行目でイエスが神の子であることを断言する。しかし福音書全体を読むと、イエスは〈折々に奇蹟を行う力を示しながらも、『人間らしい人間』として描かれている〉ことが分かる。

それは特に「受難」に関する長い記述に顕著だ。イエスの生涯の最後の24時間は、マルコ福音書の3分の1を占め、ユダヤ人による弾劾（だんがい）、ピラトの日和見（ひよりみ）主義、軍人の嘲笑などがそのまま伝えられている。それに対してイエスは終始、沈黙を貫く。イエスは〈死の恐れを感じた時から、十字架上で「わが神、なぜわたしをお見捨てになったのか」と叫ぶ時まで〉、極めて無力な人間のように描かれる。にもかかわらず、いつも品位を保っている。マルコが描くそのようなキリストの姿は、ルオーのキリスト像を思い出させる。

マタイ

マタイはマルコ福音書の存在を知っており、それに基づいて新しい福音書を書いた。だからマルコ福音書のほとんど全てがマタイ福音書に入っている。しかしそれに加えてマタイは、イエスの教えを具体的に伝えている。マルコが「イエスは権威ある者然として教えを宣（の）べていた」と言ってはいるものの、その教えの内容をほとんど述べていないのに対して、マタイはイエスの教えを具体的に書き補っている。

特に第5章から始まる「山上の垂訓」は有名だ。冒頭の「幸いなるかな……」の言葉は「福音（良い知らせ）」という語の意味を伝えている。後には、読む者にとって忘れられない言葉「だれかがあなたの右の頬を打つなら、左の頬をも向けなさい　……　野の百合をごらんなさい」なども出てくる。その教えは『理想とする信者の態度』を描き出している。また、読者が読み誤らないように「あなたがたは完全な者となりなさい」というイエスの言葉をマタイは端的に伝える。

このように、マタイは「教師としてのイエス」を描いている。福音書の終わりにイエスは弟子に（取りも直さず、全ての時代の信者に）「あなたがたは行って、全ての民をわたしの弟子にしなさい」と言う。マタイのキリスト像は、「美しき神」と呼ばれるアミアン大聖堂の彫刻を連想させる。

ルカ

マタイ同様、ルカもマルコ福音書を知っていた。それを踏まえながら、自分の見方に従って多少の手直しを加えている。たとえば、マルコによれば受難の時のイエスは寡黙だった。それに対してルカは、イエスの言葉を伝える、「父よ、彼ら（ユダヤ人）をお赦しください。彼らは自分が何をしているのか知らないのです」と。また、自分の傍（かたわ）らで同じく十字架にかけられている犯罪人に、「あなたは今日わたしと一緒にパラダイスにいる」と言う。このように、ルカが描くイエスは「やさしい人間」「慈悲深い人物」である。

同じ特徴はルカ固有の箇所に、よりよく表われている。ルカだけが伝える「ナイムの出来事」

はその一つだ。「息子に死なれた未亡人を見てイエスは憐れに思い」とルカは書く。福音書の中に、イエスの気持ちを表わす句は稀（まれ）である。また有名な「放蕩息子」の譬（たと）え話も、「エマオへの旅人」の記述も、ルカのみのものである。これらの箇所で、ルカはその筆力を活かし見事な文章を私たちに贈ってくれる。

要するに、ルカが描き出しているのは「敬虔で柔和なイエス」である。この柔和なキリストは、ジェローナの12世紀の彫刻によく表現されている。

ヨハネ

マルコ、マタイ、ルカによる三つの福音書の内容はよく似ていて、並べて読めば同じ記述を見出すことができる。だからこの三つを『共観福音書』と呼ぶことがある。だが、ヨハネ福音書の手法は違う。もちろんイエスの言動を（受難を含めて）述べているのだが、ヨハネが提供するイエス像は常に、〈人間でありながら神の子でもある存在〉として描かれている。

例えば、ある日、群衆に食べさせるために、イエスはフィリポに「どこでパンを買えばよいだろうか」と尋ねる。その場面を書くヨハネは「こう言ったのはフィリポを試すためであって、ご自分では何をしようとしているか知っておられたのである」と付け加える。この〝解説〟はヨハネの意図を示している。

また、イエスの超越性を示すために、ヨハネはいくつかのシンボルを使う。イエスは道であり、ヨハネの考え方をさらに敷衍（ふえん）すれば、「イエスは唯一の道、永遠の命、真の光、あらゆる知識にまさる真理」ということになる。ヨハネのメッセージの中心は、「イエスが父なる神の御子である」ということに尽きる。

ヨハネ福音書を要約すれば、次の一句に辿り着く。

「わたしを見た者は、父を見たのだ。」（ヨハネ12－45、同14－9）

つまり、ヨハネは人間たるイエスの姿を通して、「復活した、神の力を持つキリスト」の像を描き出したいと思ったのである。セファルの12世紀の教会の後陣にある「パントクラトル（全能者）のモザイク」は、ヨハネが示すキリスト像を生き生きと描き出している。

人格者中の人格者

信徒とその友人の会話から

信徒　君は、キリストを「偉い人格者だった」と思うかい？

友人　さあ……　クリスチャンだという人を僕は数人知っているけれど、彼らが特に人格者だと思ったことはないね。〝元締め〟のキリストだって、同じようなものではないかなあ。

信徒　だから、クリスチャンとは言わないさ。「キリスト自身」のことなんだ。僕に言わせれば、キリスト自身は偉い人格者だった。

友人　うん、世間ではそう言われているらしいが、僕にはキリストが何をしたのか分からない。たいした業績も残さなかったんじゃないか。

信徒　そうだねえ……　業績を挙げれば、まずは生まれてから——

友人　誕生日は12月25日だろ？　ドサ廻りの説教師だったらしいけど、30歳代半ばで権力者の不興を買って死刑になったらしいね。

信徒　その間に教訓を残したよ、彼は。有名な言葉をたくさん！

友人　ああ、「汝の敵を愛せよ」とか「貧しい者は幸いだ」とかね。有名と言えば有名だけど、意味がよく分からない。

信徒　キリストの死は——

友人　はりつけ、だったらしいね。無罪の人間が処刑されたって言うなら、他にいくらも例があるだろ？

信徒　しかし、キリストの死に方はすばらしい。無罪なのに、自分から命を捧げる態度だった。

友人　ソクラテスのように？

信徒　ソクラテスは自分の主義のために死んだ。キリストは、皆を救うために死んだのだよ。

友人　そんなこと言ったって、キリストは2000年も前に死んでしまったじゃないか。

信徒　だけどソクラテスと違って、キリストには弟子がいるし、キリストの精神は今なお生きているよ。キリストのために闘う人、キリストのために生命(いのち)を投げうつ人もいるんだから！

友人　なんでそんなことをするんだろうな……

信徒　キリストが偉大な業績を残したからじゃないか。それに、キリストは学者なんかじゃない。それでいてキリストの教えは確かにすばらしい。でもさ、どんなにすばらしい教えだって、その教えだけのために人が生命を捧げたりすると思うかい？　やはり、キリストの教えに何とも言えない魅力があるからこそ、人生を懸けてでもキリストについて行く気になるのさ。つまりだな、僕たちが生命を投げ出しても悔いはないと思えるのは、キリストがキリストだからなんだよ。

友人　それが、君の言う「人格者」？

信徒　そう！　人格者中の人格者さ。

あなたは随いて行くか

大のおとなの人生行路を変えさせる

「ある日、イエスはレビという人が徴税所に座っていたのを見て、彼に『わたしについて来なさい』と言った。レビは立ち上がり、随いて行った」（マルコ2－14）

「ペテロとアンドレという2人の漁師が湖で網を打っていた。イエスは2人に『さあ、わたしについて来なさい』と言った。2人はすぐに網を捨てて随いて行った」（マルコ1－17）。

このように、一言の命令で大のおとなの人生行路を変えさせるイエスとは、いったいどういう方なのか。偉い学者なのか？　そうではない。当時の義務教育を受けただけで、高等教育機関の教授の門弟として教えを受けた人物ではなかった。学歴もないイエスは、その生涯の絶頂期に〝位人臣を極めた〟のか？　そうでもない。終生、ナザレという寒村の大工だった。イエスは人々を感嘆させるほどの苦行生活を送っていたのか？　そうでもない。「彼は大食漢で大酒飲みだ」（マタイ11－19）と人々は噂し合っていた。

そんなイエスが、果たして〝偉大な業績〟を残したのか？　一見したところでは、そうでもない。一種の反体制運動を起こしたが、3年後に逮捕され、反逆者として十字架につけられた。そのとき、弟子たちは皆、逃げた（マルコ14－50）。つまり「イエスの運動」は一時消えたのだ。イエスは確かに〝反逆者〟として死刑に処されたが、反逆者という罪名に根拠はない。イエスに死刑判決を下した権力者らは（ユダヤ人もローマ人も）それを知っていた。イエスが真実を語っていたから、口封じのために彼を殺したのである。イエスがピラトの前に引き出された裁判は、見せかけの茶番に過ぎなかった。

イエスは常に命じる

「わたしについて来なさい」というイエスの命令に、何人かの人物は直ちに従った。イエスの日常の中でこういう例は珍しくない。常にイエスは命令する。そして、その命令は叶えられる。

イエスは痛風の人に「起きて、床を担いで歩きなさい」と命じた。すると、その病人は起き上がり、すぐに床を担いで皆の前を出て行った（マルコ2－11）。

12歳になるヤイロの娘が息を引き取ってまもなく、イエスは彼女に「少女よ、さあ、起きなさい」と命じた。少女はすぐに起き上がり、歩きだした（マルコ5－41）。

イエスがエリコという町を出て行こうとしたとき、バルティマイという目の不自由な貧者が道端に座っていた。盲人はイエスが通り掛かったと聞いて、「イエスよ、わたしを憐れんでください」と叫んだ。イエスは立ち止まり「何をしてほしいのか」と尋ねた。盲人は「先生、目が見えるようになりたいのです」と答えた。イエスは「帰りなさい。あなたの信仰があなたを救った」と言った。盲人はすぐに目が見えるようになった。（マルコ10－52）

そしてイエスは人に教える

それらは奇蹟だと言える。そして現代人にとって奇蹟は信じがたい。ならば、「奇蹟」について一言だけ述べておこう。『福音書の記者は事実を多少、誇張している』と考えてもいいが、ともかく、すばらしい力をもつイエス像を忠実に描き出そうとした。そしてその肖像に間違いはない。

イエスはまた人に教えもする。教師のような教え方ではなく、「権威ある者のように」教え（マルコ1－22）、幸福（福音＝GOOD NEWS）を宣べる。隣人愛、ゆるしなどを教えるが、たびたび、厳しい言葉で人をやり込めた。ニコデモに「あなたは律法の学者なのに、そのイロハさえも知らないのか（ヨハネ3－10）」と言い、ヘロデ王を「あの狐（ルカ13－32）」と呼び、ファリサイ人に向かって「蛇、蝮の子孫ども」（マタイ23－33）と悪口を浴びせる。またあるときは人を威圧し、一瞬にしてその心を変えさせるような強い言葉を投げ掛ける。

あなたは、随いて行きますか？

ある日、ユダヤ人のリーダーはイエスを捕らえるために下役を派遣したが、彼らは手をかけずに戻って来た。「どうしてあの男を連れて来なかったのか」と聞かれると、下役は「今まで、あの人のように話した人はいない（ヨハネ7－46）」と答えた。

イエスは人々に「わたしに随いて来なさい」と繰り返し呼びかけている――　今このとき、あなたに向かっても。

第Ⅰ章　イエス・キリストの生涯

第1節

神の子として生き、教え、殺され、復活した人

誕生――死と復活の前奏曲

人類最大の有名人、イエス

人間イエスの誕生を祝う日

毎年12月24日の晩、私たちはクリスマスを祝い、イエス・キリストの誕生を記念している。ところが前述したように、イエスの生年月日は、正確には知られていない。12月25日という日は、4世紀頃になって決められたもので、その歴史的な根拠は薄い。また生まれた年も不確かだ。イエスが生まれたのはおそらく、紀元前10年から西暦4年の間だと思われる。

しかし、その生年月日が正確に分からないにしても、その時代にイエスという人物は確かに生きていた。そして、私たちはその〈人間であるイエス〉の誕生を祝っているのだ。

イエスは神の子であり、同時に本当の人間である。私たちと同じようにイエスも人として生まれた。そして私たちと同じように育ち、活動して、成功をも失敗をも体験し、死んだ。

イエスの幼年時代を語るデータは少ない。だが彼の活動とその十字架上の死について、福音書は詳しく伝えている。そして、それがキリスト教の土台となっているのである。

キリスト教とは〝キリストの教え〟だと考えられがちだが、それならキリスト自身の生涯は二次的な問題になる、信者にとっては「その教えにさえ従えば十分」なのだから。

しかし実のところ、キリスト教は〝キリストの教え〟とは違う。キリスト教の核心は「キリスト自身」なのだ。強いて〝教え〟という言葉を使うとすれば「キリスト自身に関する教え」と表現しなければならない。

人類最大の有名人イエス・キリスト

「キリスト信者」とは〈キリストを信頼し、キリストに従い、キリストと合体する者〉の意である。キリスト自身の存在が信仰の中心であり、根拠なのだ。〝教会の説く教えがすばらしい〟とか〝2000年前から今日まで、キリストの弟子である信者らは優れた業績を残した〟とかいう事実は、信じる理由になり得るが、それ以前の問題として、信じるか信じないかの決定的な分岐点は「イエス自身を全面的に信用するかどうか」ということだ。信者は、紛（まが）うことなき「イエスのファン」なのである。

イエスのファンである信者がイエスの誕生を祝うのは当然だろう。また全世界で、信者でもない大勢の人々がクリスマスを祝っているのも事実である。その人々は「イエスのファン」ではないにしても、イエスに一目置いており、『イエスは人類にすばらしいメッセージをもたらした』と思っている。これはそのまま、イエスの名声を物語る。〝有名人のリスト〟があるならそれを調べてもいい。

はっきり言っておくが古今を通じて、キリストほど多くの人々からその誕生を祝福されている人物はいない。全人類の中で最も有名な人物は、イエス・キリストである。

神から人間への「またとない賜物」

クリスマスを祝うのは、ベツレヘムで生まれたマリアの子を「神の子」と賛美することに他ならない。イエスは人間の一人として生まれたが、マリアに告げられたように「神の子」である。それは信仰の対象であり神秘である。そしてその神秘は同時に、いろいろな「良い知らせ」を証し宣べている。

人間の一人であるイエスは、同時に神の御子として神性を有する。すなわち「イエスの人間性」は「御子の神性」に与っている。言い換えれば、キリストは神の御子として全人類の中心となり、全ての人に生きる理由を与える。

その意味でクリスマスは、「人間性」という概念について優れた教えを提供する。〈人間であるとはどういうことか〉という問いは永久の哲学の課題である。その問いについて、人間を絶賛したり褒めたりする答えの数は無数と言っていいほどだ。しかしキリスト教は独り、その問いに「イエスの誕生は人間が神性を受け得ることを示している」と明確に答える。論理の展開として、「『受け得る』なら当然、『受けるべきである』」となるだろう。つまり、〈神の御子が真の人間になったのだから、当然、人間は本質的に神に到達すべきものである〉ということになる。

人の心には多かれ少なかれ〝超越性への憧れ〟が潜んでいると思想家たちは教えているが、イエスの誕生はその潜在的な本性を明るみに出す。「人間は、人間だから神の許に呼ばれている」——イエスの誕生は、それを明確に宣言している。そればかりか、神に到達する方法をも示す。すなわち神への道は、キリスト自身の生き方に倣うことである。

神には計画がある。創世記に書かれているとおり、神は自分を象って人を創造した。人間は本来、神の似姿なのだ。もっとも父なる神の完全な似姿は、神の御子のみである。こうして御子は人間として生まれたので、全ての人はキリストの姿に倣い、キリストとともに神の似姿になるよう招かれている。

神がそのように計画したのは「神の愛」の現われである。神は愛をもって人を創造し、また愛をもって御子をこの世に派遣した。「神はひとり子を与えるほどに人間を愛された」とヨハネは言う。イエスの誕生は、他の何ものにも比べようのない〈神から人間への、またとない賜物〉なのだ。その賜物とは「人間を神の子とすること」。「キリストは、本性により神の御子」だが、「人間は、恵みによって神の子になれる」のである。

賜物はまた「生命」である。キリストに属する者はキリストの生命に参与し、父なる神の交わりにも与る。キリストが復活して死の刺を抜いたので、その弟子たちもまた永遠の生命に召されている。永遠の生命というと〝来世〟を考えがちだが、キリストに出会い、キリストと合体した人は、この世においても「生きる目的」を掴んでいるため、その生命は永遠へと繋がる。

クリスマスはこの確信を裏づける日であり、希望を持って自立を味わい、人間らしく生きていく人――キリスト信者――は、大きな喜びを感じるのである。

見方を変えよう。キリストは全ての人にとって「兄」である。真の人間であるキリストが、一方で、全ての人の兄であるためには、神の子でなければならない。その両方を実現するのがイエスの誕生なのだ。

その見方を肯定するなら、キリストは「全人類のリーダー」ということになる。キリスト信者でない人もクリスマスを祝うという事実は、彼らが漠然とながらそう感じているからではないか。キリストが全ての人の兄であることは、「全ての人は兄弟である」ことを意味する。だからこそキリストは兄弟である全人類に「互いに愛し合いなさい」と命じるのである。キリスト自身、人のために生涯を献げ、十字架上で生を終えるまで愛を尽くした。その人生とその最期は、「隣人を愛せよ」の実践がいかに難しいかを物語る。

にもかかわらず「隣人愛」は、現代世界にあって平和を築くための唯一の基礎である。考えてみればイエスの誕生後すでに２０００年も経ているのに、地球上では紛争が絶えない。それは隣人を〝敵〟と見ているからである。人々に兄弟であることを意識させるイエスの誕生は、取りも直さず「恒久平和」へのアピールである。ベツレヘムで天使が「平和あれ」と歌ったのは必然、かつ当然のことであると言わなければならない。

最初の訪問者——牛小屋を訪れた羊飼いたち

イエス誕生の前夜に話を戻そう。12月24日、夫・ヨセフと妻・マリアは夜も更けた頃、ベツレヘムに着いた。身ごもっていたマリアは途中で幾度も休まなければならなかったし、3日間マリアを乗せてきた茶色のロバも足を引き摺っていた。

その日は大勢の人々が、居所を登録するためこの地にある役場に来ており、遅く着いたヨセフとマリアが泊まるための宿屋はすでに満室。近くに牛小屋——馬小屋ではなく——があった。中には干し草が積み上げられており、2人とロバが一息つくにはちょうどよい場所だった。そしてそこで、イエスは生まれた。

マリアは赤ん坊を飼葉桶に寝かせた。静かな夜だったが、まもなく外が騒がしくなった。何人かの男の足音と話し声が聞こえる。ヨセフはとっさに干し草用のフォークを掴み、妻と我が子を守ろうと身構えながら尋ねた、「どなたですか?」。「羊飼いだ」と外の男が答えた。ヨセフは心の中でつぶやいた、『羊飼いだって? だとすれば彼らは原野で動物とともに寝起きし、躾も礼儀も知らない野卑な男たちに違いない。何かを盗みに来たのか? だとしたら見当違いだ。ここには少々くたびれた俺の外套しかない』。ところが羊飼いの一人が牛小屋の柵越しに、羊飼いらしからぬ穏やかな声で話し始めた。

「俺たちは今夜、ここから南へ三里ばかり離れたエタムの高原で、いつものように羊の番をしていたんです。すると突然、空にものすごい光が走り、きらきらと輝く翼をもった美しい少年が飛んで来ました。天使だったのですよ。天使なんてものがいるかって？　そう疑われるのも無理はありませんが、確かに俺たちは見たんです。そしてこの耳で聞きました。天使はこう言ったのです。『ただ今、ベツレヘムでお前たちのために、また全世界のために、救い主が生まれた。そして今、飼い葉桶に寝かされている。こういえばそれが何処（どこ）なのか分かるだろう。すぐ拝みに行きなさい』。その声と一緒に、神を讃え平和を祈って歌うコーラスも聴こえてきました。だから俺たちはすぐさま礼拝に駆けつけたというわけです。揺りかごに飼葉桶を使うというのは普通じゃないから、場所はすぐに分かりました。どうか赤ん坊を見せてください」

　無口なヨセフは何も言わずに、羊飼いたちを中に入れた。彼らが入ると、牛小屋には羊のすえた匂いが満ちた。マリアはそのいやな匂いに気づき、羊飼いたちの粗野な顔つきと汚れた服を見た。が、同時に彼らの目つきにも心を留めた。羊飼いたちは赤ん坊をうっとりと見つめている。彼らの澄んだ目には、尊敬と希望の輝きが溢（あふ）れていた。

　彼らは「赤ん坊を抱きたい」と言った。マリアは承知した。生まれたばかりの小羊を扱い慣れた手が、神の小羊を抱いた。ごつごつしてはいるが器用な動作で、世の救い主を巧みに抱きかかえている。『普通の赤ん坊と変わらない姿のこの幼児（おさなご）が世の救い主なのだ』と羊飼いたちは信じていた。

『天使がそう言ったから』『天使の言ったとおりに赤ん坊が飼葉桶に寝かされていたから』――貧しい羊飼いたちにとって、救い主が貧しい家庭に生まれるのは当たり前のことだった。羊飼いは贈り物を持って来ていたが、それがあまりにもつまらないものだったことを恥じた。もじもじしながら彼らはそれをマリアに献げた。贈り物は一瓶の生乳と一袋の羊の毛だった。マリアはその真心のこもった贈り物を心から喜んで受け取った。羊の毛は刈り取られたままのもので、自分で紡ぐことができる。マリアは羊飼いが素直に喜ぶさまを見て神に感謝し、「神は貧しい民を救い上げてくださる」という詩編の句を思い出した。やがて、羊飼いたちはベツレヘムの牛小屋を辞去し、エタムの高原に戻ったが、帰り道、彼らの心は希望に燃えていた。

マリアは羊飼いの訪問を忘れることができなかった。数日後、外国人の偉い学者が訪れ、黄金と芳香のすばらしい贈り物を残して去った。けれども羊飼いの訪問の方がマリアには嬉しかった、彼らは最初の訪問客だったからである。彼らが素朴な心でイエスを一途に信頼していたからでもある。そしてなにより、彼らは貧乏人だったから。

ある人生航路――イエス・キリストという人物の一生

ガリラヤ村の無名の青年大工

イエスの時代、パレスチナはローマ帝国の植民地だった。そこを裁治（さいち）する権力を握っていたのはローマ人の総督だったが、日常の問題はイスラエル人のリーダーに任されていた。このリーダーたちは政治家であると同時に宗教指導者でもあった。

彼らの権力は国民の信仰に基づいていた。したがって治安秩序も慣習規定も、信仰上の掟として服従するよう求められていた。そんな中で紀元27年、イエスは活動を開始した。

そのときイエスは30歳、学歴もないガリラヤの無名の村の大工だったが、折を見てはガリラヤの町や村を歩き回って演説したりしていた。それは驚くほど成功し、大勢の人が彼に従っていた。イエスは弁舌さわやかに語り続けた。

イエスは論理で説得することを避け、日常の話し言葉を使って分かり易く語った。たとえば、どこの家庭にもある油、塩、ぶどう酒などを比喩に使ったり、漁師が網を打つこと、百姓が種をまくことなど、ごくありふれた情景から譬え話を作ったりした。著名な学者の説に依らず、自信に満ち満ちて「私は言っておく」と断言を繰り返すのが常だった。何人かの病人を治したこともあって、イエスはかなりの人気を集めるようになった。それを見てイスラエルのリーダーたちは、イエスを〝民衆煽動家〟と看做し、その挙動を監視するようになった。

目的は「人々の信仰を再び軌道に」

イエスはいったい人々に何を教えようとしたか――ひと口で言うなら、その目的は「イスラエル人の信仰を再び軌道に乗せること」だった。すなわち、〈神を愛し、隣人を愛するという律法の核心〉を、核心として据え付けることである。現代の用語で言えば「政教分離を目指していた」と言える。だがそれを実行すると、〝安息日の規則を守ること〟〝手洗いなどの浄めの式や、神殿で行われる儀式〟などを軽視することになる。イエス自身はこうした細かい規則を無視していた。それは国民に一種の解放感を与えていた。

しかし、イスラエルのリーダーらは通常、これらの細かい規則によって民衆を制御していたのだった。日常の規則がなくなれば、自分たちが作った制度は崩れるし、自分の立場もなくなる。彼らはイエスの運動が自分たちの存在を覆すものになることを怖れ、イエスをいっそう危険視するようになった。

イエスがエルサレムに上ったとき、緊張は高まった。イエスは神殿で公に自説を唱えたばかりでなく、町で一人の盲人の視力を回復させた。またイスラエルのリーダーたちに対し、おおっぴらに「偽善者」と悪口を浴びせたりした。

これでは妥協の余地はない。リーダーらは『イエスの運動を止めさせなければならない』と思い始めた。そこでイエスを逮捕し、裁判で死刑の判決を受けさせる手立てを考えた。が、それは容易なことではない。告発の材料を探さなければならないが、なにしろイエスの名望は高くなり過ぎている……

実際のところ、イエスの名声は一時相当広まったが、その名声はだんだん衰えていた。イエスが人々の期待に応えなかったからである。イスラエル人はローマ人の支配下から解放されたいと願っていた。地下のテロ活動が起こるほどにその願望は強かった。彼らはイエスの力と才能を見て、彼に解放戦線のリーダーになってもらいたいと思ったのだった。しかし、イエスはそれを断わった。

彼の口からローマ人を非難する言葉が出たことはない。彼は国粋主義者でもなく、政治家でもない。いつも「隣人を愛しなさい」と教える。「隣人」とは、全ての国の全ての人々である。「敵を愛せよ」と命じる人が反乱軍の首領になるはずもない。

そんなある夜、イエスはユダに裏切られて逮捕された。裁判で自己主張の言葉尻を捉えられ、死刑の判決を受けた。ピラト総督は不本意ながらも十字架上での処刑を命じた。

イエスは民衆の支持を失い、弟子からも捨てられて一人で死と向かい合う。30年4月7日3時頃、彼は息を引き取った。しかし、イエス事件はこれで終わったのではない――。

教え

喜びなさい

メッセージ

イエスの誕生を知らせる天使は、「国民全体に与えられる『大きな喜び』を告げる」と言った。ここでいう「国民全体」とは、別に「一国の国民」に限定されているわけではないから、「全人類」と理解すべきである。

であれば、天使のメッセージは「イエスの誕生は、全人類に与えられたこの上ない喜び」ということになる。イエスの誕生は単にベツレヘムでマリアが男の子を産んだという出来事に留まらず、彼の全生涯にわたる行動と教えを含むからである。

イエスの最初の説教は「幸いなるかな」という句で始まる。続く言葉は〝罪を意識しなさい〟でも〝苦行しなさい〟でもなく、「希望を持ちなさい。喜びなさい」である。

また別れのとき、イエスは「あなたがたは心から喜ぶことになる。その喜びは誰も、あなたがたから奪い去ることはできない」と、最後のメッセージを残した。このメッセージを受け入れたキリスト教の特徴もまた「喜び」である。

イエスはまた「わたしのために迫害されるなら、あなたがたは幸いである。喜びなさい。大いに喜びなさい」とも言った。その言葉に励まされた殉教者の多いことを、私たちは知っている。キリストを信じる人は「喜び」を感じる。もちろん信者であっても、人の常として、悲しみにも苦しみにも出会う。その時にあっても信者は喜ばなければならない。アッシジのフランシスコの例を思い浮かべてみよう。『人間の中で一番イエスに似た人』とされる彼は、赤貧の中に生きていながら常に喜び、喜びの歌を作った。

このように初代教会から現代に至るまで、信仰のために苦しんだ人が苦しみの中に喜びを見出した例は数えきれない。それは、〈信者は信仰の次元においては喜びを感じているが、世俗の喜びには背を向けている〉ということを意味するのだろうか。そうではない。キリスト教は禁欲主義でもなく、マゾヒズムでもない。酒を飲む喜びをも、愛の表現としてセックスする喜びをも高く評価する。信者はキリストを信じているからこそ感じることのできる「自分の才能を発揮できる喜び」「子供が立派に成長するのを見る喜び」「社会に有益な貢献をした喜び」などを享受(きょうじゅ)しているのである。

信者はさまざまな喜びを感じている。が、実際の姿や立ち居振る舞いに接する限り、十分に喜びを表現しているようには見えない。古来、どの民族も心の底からの喜びを歌や踊りによって表わしてきた。日本のキリスト信者たちの場合、多少は歌うが、踊ることはしないようだ。これは信仰を表現する上で大きな欠落と言うべきだろう。

他の喜びに勝る「偉大な喜び」

パウロはフィリピの信者に「主において常に喜びなさい。重ねて言います。喜びなさい」と書く。「常に」は当時の教会が受けていた迫害を暗示している。

ここで「喜びなさい」という命令が問題になる。喜びは命じられるものなのか。命じられた喜びが真の喜びと言えるのか……　パウロの言わんとするところは、「喜びの根拠を意識しなさい」ということだろう。

では喜びの根拠とは何か。

喜ぶ理由はまず、キリストに出会い、自分の人生の目的を見出したことにある。真の道であるキリストとともに歩むのは、困難に遭っても挫折しても、避けたり逃げたりせずにまっすぐ進むことだ。一口で言えば、キリストを信じるとは「生き甲斐を見出した喜びを感じること」。それは確かに、他の喜びに勝る「偉大な喜び」である。

次に、喜びは愛の結実だといえる。恋人たちが味わう喜びはそれを物語っている。愛するから、また愛されるから、結果として喜びを感じる。しかしそれだけでなく、「愛」それ自身から既に喜びを学んでいるのだ。それはまた信者にとっては喜びの源泉である。

キリストは私を愛する――　それは確かである。しかも、私の想像をはるかに超えるほどにキリストは私を愛している。

その愛を意識し、その愛に応えることこそが、喜びの根拠なのである。

受難と死

苦悩の必然

ゲッセマネのイエス

マルコ（14－32～36）とマタイ（11－25～26）は、ゲッセマネでのイエスの祈りを伝えている。周知のとおり、その出来事はイエスの受難の前夜に起こった。イエスは殺されるのを予感して、死の恐怖に襲われた。そう、キリストは神の子だが、同時に私たちと同じ人間なのだ。私たちが死の恐怖を感じるように、イエスも死の恐怖を覚えたのである。そしてイエスは悲しみに暮れた。人間が挫折感を味わうのと同じように、イエスも挫折感を味わったのだ。『自分の努力は無に帰するのではないか』――

ガリラヤでは、大勢の人がイエスの言葉の魅力に惹(ひ)かれて集まっていた時期もあったが、その時は既に過ぎ去った。人々に「私について来なさい」と命令すればその人たちがただちに従った時もあったが、その時も過ぎ去った。

最期の刻(とき)を前にした今、弟子は減り、一番信頼してきた3人の弟子さえ眠りこけている。イエスは地面にひれ伏して、全き孤独を噛(か)みしめた。孤独そのものだったのか…… 否、イエスは常に、父なる神とともにいた。その時もイエスは父なる神に向かって祈り、「アッバ（父よ）！」と叫んだ。「アッバ」は、イエス固有の呼びかけで、父なる神への深い親しみを含んでいる。「この盃を私から取りのけてください」とイエスは願った。〝この盃〟は比喩的に「死」を意味している。自分が殺されないように、とイエスは願う。

イエスがこのように祈ったゆえに、私たちにも〝願いの祈り〟を捧げることが許される。苦難に出会ったときに助けを求めるのも、希望する目的に達するために援助を願うのも良い祈りとなるのである。

あるときイエスはこう教えた。「求めなさい。そうすれば与えられる。探しなさい。そうすれば見つかる。門をたたきなさい。そうすれば開かれる」。したがって、私たちが信頼をもって「父よ、助けてください」と叫ぶのは真の祈りになる。

イエスは試練が過ぎ去るように祈るが、「私が願うようにではなく、聖心に適うことが行われますように」と付け加える。祈ることは要求することではない。謙虚な態度を以って、父なる神に、自分の悩みを説き明かすことである。神は人間の必要なことが何であるかを知っておられる。祈る人はそのことをよくわきまえており、神への信頼に基づいて、神の思し召しに従おうと思うのだ。「御心に適うことが行われますように」とイエスは繰り返す。自分を裏切ろうとは思わない。生命を捧げなければならないほどの苦しい使命であっても、それは父なる神から与えられた使命なので、完全に果たす決心をしたのである、「御心に適うことが行われますように」と。

〝幼子のような者〟が意味するもの

第二のテキストの中でマタイはイエスの感謝の祈りを伝えている。「父よ、あなたをほめたたえます」。このような感謝の祈りは、イエスの普段の祈りだったと思われる。イエスは常に父の御旨(みむね)をほめたたえていた。イエスは前記の言葉に続けて、「これらのことを知恵ある者や賢い者には隠して、幼子のような者にお示しになりました」「そうです。父よ、これは御心に適うことでした」と言っている。

「これらのこと」とはイエスの宣べ伝えるメッセージ、福音そのものを指す。その福音はまず、幼子(おさなご)のような者に宣べ伝えられる。が、〝幼子のような者〟という表現を誤解してはいけない。現代人の感覚からすれば、『子どもは無垢(むく)で愛らしい存在』かもしれない。しかしイエスの時代、「子ども」といえば〝まだ一人前にはほど遠く、何の権利も持たず、生きるためには親に依存しなければならない存在〟と位置づけられていた。つまり〝幼子のような者〟とは、「一人では生活できず、他人に依(よ)り縋(すが)るしかない半端者」の意なのである。

イエスの行動を見ると、病人、貧しい人、身分の低い人、軽蔑されている人といった「社会的弱者」に優先的に福音を宣べ伝えていることが分かる。そして、そういう弱者の代表が「子ども」なのである。したがってここに見るイエスの態度は、父なる神の御旨を反映していると断言できる。

〈なぜ神が「幼子のような者」を優先的に愛しておられるのか〉という問いに答えはない。あるとすれば、それは「神の御旨だから」ということに尽きよう。イエスは父なる神の御旨を知り、それが実現されたことをほめたたえている。私たちもイエスとともにいつも、神に感謝しなければならない。

考えてみれば、私も本書を手にしておられる貴方も、自分の人生のあらゆる場面で、感謝の祈りを捧げることができる。「今、生きていること」に感謝しよう。「恵まれた環境で育てられたこと」「自由・平和・繁栄に満ちた国で生活していること」に感謝しよう。なにより、「救い主・キリストを知り、それによって生き甲斐を感じていること」に感謝しようではないか。

自分の人生を顧みれば〝才能が乏しい〟〝世間に認められない〟〝自分の力が発揮できない〟などと考え、不満を感じるかもしれないが、まずは、ありとあらゆるものに感謝しなければならない。パウロはこう言った、「いったい、あなたの持っているもので、戴(いただ)かなかったものがあるでしょうか」。

キリスト自身に出会う場

ここまで私たちは、福音書に述べられたイエスの祈りについて考えてきた。イエスの姿をいつも眺めていなければならないからだ。信者にとっては、キリストが全てである。その姿を伝えるキリスト教が思想体系の一種ではないことは既に述べた。もちろん歴史の流れの中で、キリスト教はいろいろな神学的、哲学的な概念を形成してきた。しかし、キリスト教の中心は、そこにあるわけではない。キリスト教の中心はあくまでもキリスト自身なのである。前述したように、キリスト教は〝キリストの教え〟というよりも「キリストに関する教え」であり、「キリスト自身へ導く道」であり、「キリスト自身に出会う場」である。

信者であるということは、2000年前に生きていたキリスト、十字架上で死に、三日目に復活して今もなお生きているそのキリストを、全面的に信用している、ということに他ならない。したがって当然のことながら、信者は常に福音書を通してキリストの姿を眺めようと思っている。

信者はまた、信者の共同体である教会の中にキリストがおられることを知っており、共同体の祈りの中でキリストに出会う。「2000年前に死んだキリストが今もなお――目に見えない形だが――本当に生きている」と認めることこそが、キリスト教の基礎なのだ。

「それでは、キリスト教を信じることによってどんなメリットが得られるのか」と尋ねられるかもしれない。

その問いに答えよう。まずキリストを信じるのは、この世で出世したり富を築いたりするためではない。キリストを信じるから病気にならないとか、幸福な家庭を築き上げられる、ということでもない。キリスト教のメリットは「人に生き甲斐をもたらすこと」、これである。

何のために生きるか、という問いに、貴方はどう答えられるだろうか。「何のために生きるか」と自問しない人はあまりいないだろう。その問いにキリスト教は答える、「キリストのために生きる。それは、すばらしい生き甲斐をもたらす」と。

誤解のないように付言しておくが、キリストを信じることは、人を縛ることではない。むしろ人に自由を与える。信者も、信者でない人と同じく仕事を自由に選び、社会的な活動を自由に選ぶ。そしてその仕事や行動を通してキリストと共に生きることに生き甲斐を感じ、喜びを味わうのだ。

「そうは言っても『価値観』というものはさまざまで、それぞれ相対的なものだから、これといって打ち込むものがない」と貴方がお考えなら、私はあえて言う、「絶対的存在であるキリストに打ち込んでください。キリストのファンになってください」と。

イエスの死

「西暦34年4月7日死去」説の根拠

イエスが、ローマ皇帝から派遣された総督・ピラトの任期中に十字架に付けられたのは史実だ。ピラトがパレスチナの総督であったのは26年から36年までだからイエスが死んだのはこの10年の間、ということになる。多くの学者は「イエスが死んだのは34年4月7日である」としている。その根拠は2つある。

1　ルカ3－1、ヨハネ2－20の伝えるところ、およびイエスの宣教活動の期間を2年（3年とする説もある）とする史料からの推定

2　福音書によれば、イエスが死んだのは「春の満月の金曜日」。それは30年4月7日にあたる。

当時パレスチナはローマ帝国の植民地だった。ピラトはローマ帝国皇帝が派遣した現地統治者である。ローマの支配下とはいえ、ユダヤ人にはかなり自由があった。自らの立法権（法律）と自分の裁判権（法廷）を持っていた。こうしたユダヤ人の権利を一手に握っていたのは、祭司長とその会議（マルコ14－53）である。

マルコが描く「ユダヤ人法廷のイエス裁判」

ローマ人の法とユダヤ人の法との併用は、裁判の手続きを繁雑にする。イエスはローマ人によって十字架に付けられたのだが、その前にユダヤ人の裁判に臨んだ。以下、マルコによる福音書を読みながら、イエスの死に関するデータについて若干の説明をしておこう。

14－1～2　エジプトからイスラエル人が救出された出来事（西歴前13世紀）を記念する「過越祭」は、ユダヤ人にとって最大の祝祭だった。この祭に参加するため、大勢の人々がエルサレムに上っていた。イエスには人望があるから、逮捕するにあたってはこの点を十分に考慮しなければならなかった。

14－10～11　マタイ伝（26－15）によれば、ユダは〝お尋ね者・イエス〟の逮捕を手引きするにあたって、権力者側から銀貨30枚をもらった。それは当時の相場で奴隷一人の値段にあたる。

14－43～52　逮捕する時間帯としては夜が無難だと思われた。逮捕に向かうのはユダヤ人の捕吏である。ユダはイエスに接吻して『この男がイエスだ』と捕吏に合図したが、接吻は当時、友人同士の挨拶だった。逮捕に抵抗して剣を抜いたのはヨハネ伝（18－10）によればペテロだった。

14－53～65　ユダヤ人の裁判光景が描かれている。裁判官はイエスに有罪の判決を下したいと思うが、それに該当する罪を探しあぐねる。イエスは黙ったままだった。そこで、裁判長を務める大祭司は、決定的な質問を試みた。その質問にある「ほむべき者」も「力ある者」も、神を指す。「天の雲に乗って……」は旧約聖書から採った比喩であって、「メシア」の到来を意味している。「キリスト」はギリシャ語訳の「メシア」と同義。ユダヤ人はメシアの到来を期待していた。『メシアは天から来る救い主であって、神の力を持つ者として現われる』とユダヤ人は考えていた。それで大祭司は「あなたはキリスト（メシア）ですか」と尋ねた。それに対してイエスは「そうです」と答えた。裁判官の全員が「その答えは〝冒涜〟だ」と言い、法衣を引き裂いた（衣を引き裂くという行為は、烈しい感情の噴出を表わすジェスチャーだった）。

　ここで問題となるのは、〈なぜ「自分がキリストだ」という断言が冒涜であるのか〉ということである。裁判官にとっては、イエスの答えはウソなのだが、嘘と冒涜とは違う。おそらく彼らはこう考えたものと思われる――

「被告イエスは惨めなヤツである〔ヘロデはイエスを狂人扱いにした（ルカ23－11）〕。この〝くだらないイエス〟はもちろんキリスト（救世主）ではないが、自分で『キリストだ』と言うのは、神がくだらないキリストを遣わすという意味になる。神は立派な勝利者たるキリストを遣わすに決まっているのに、だ。神がイエスというヤツをキリストとして遣わすと考えるのは、神を侮辱することになる」

こういう判断の下に、イエスの答えは〝冒涜〟と見られたのではないか。

なおマルコの文を一読して『イエスが神の子であるかと問われている以上、そこでは〈イエスの神性〉が扱われているのではないか』とお考えの向きがあるかもしれない。マルコ自身、そう考えていたのかもしれないが、史実としては、裁判官にイエスの神性を問うつもりはさらさらなく、ただ、イエスがメシアかどうかを訊(たず)ねた、というところに留まるだろう。

14－65　囚人にひどい仕打ちを加える権力側の横暴は古今を問わない。

14－65～72　ペテロの態度は忠実に伝えられているように思われる。彼にはガリラヤ訛(なま)りがあったらしい。

15－1～15　ピラトの裁判。ユダヤ人は殺生の権利を持っていないので、イエスを死刑に処するには、最終的に「死刑判決」をピラトに願わなければならなかった。しかしローマ人であるピラトにとって、イエスが自分をメシアだといったことなどは、咎(とが)め立てする理由にはならない。だからユダヤ人権力者らは、イエスを〝革命を企てる危険な政治家である〟としてピラトに引き渡した。

ピラトは別にその〝送致理由〟に騙(だま)されたわけではないが、彼にとって、ローマ市民権を持たない1人のユダヤ人を死刑に処することなど――たとえ無実の罪であろうと――なにほどのこともなかっただろう。

なお、バラバの件について一言しておくと、「〝過越祭のときに囚人の1人を釈放する慣習〟は、福音書以外に証明するものはないが、考えられ得る習慣である」と歴史家は見ている。

十字架への磔（はりつけ）

15－20〜29　十字架の死刑――　この刑はローマ人のやり方で、きわめて残酷な死刑執行術だった。それは処刑対象を奴隷に限った極刑で、処せられる者にとってはたいへんな恥辱だった。キケロは言う、「十字架の刑はもっとも残酷、もっとも恐ろしい死刑執行である」。その恐ろしさと恥辱の深さを知っていたキリスト信者はそれを憚（はばか）って、五世紀に至るまで〝十字架につけられたキリストの像〟を描かなかった。十字架を負うこと、人を裸にすること、罪状書きを置くことなどにおいて、マルコの記述と当時の実際のやり方は合致している。

15－33〜39　イエスの死。「エロイ、エロイ……」というイエスの最期の言葉は、イエスの絶望を表わすものではない。この言葉の原典は、「詩篇」第22の冒頭にある。〈詩篇第22の最初の言葉を引用すること〉は、当時の表現法として〈詩篇第22全体の意味を仄（ほの）めかすこと〉なのである。そして、詩篇第22の全体は〝絶望〟ではなく、「苦しいとき神に向かって信頼の念と哀願とを表現する祈り」である。この祈りを暗記していたイエスが、十字架上でそれを唱えたとしても、何ら不思議ではない。

さらに、百卒長の言葉である「神の子」はマルコの意図を表わす。すなわち、『ローマ人である百卒長がキリストの神性を告白した』とマルコは言いたかった。しかし史実としては、そこまでの〝深読み〟はやや強引というべきだろう。むしろ、この百卒長は「十字架の刑」に立ち会うことが多く、処刑対象者の最期の姿をよく知っていたからこそ、イエスの態度が他の罪人のそれと違うことを認め、「彼は無罪だ」と言ったのではないか（ルカ23－47参照）。そうだとしても、マルコがイエスの最期を「キリストの神性の信仰告白のとき」としたことは間違いない。

ルカが伝えるイエスの最期

ルカは、福音を書き留めるにあたって「イエスの死去」を伝えるくだりでは、概ね（おおむ）マルコ伝に従っている。しかし、ルカ固有の箇所（例えば、イエスがヘロデの前に引き出される場面）を別にしても、マルコに従うとはいえ、多少省いたり、付け加えたりしている。そこで、ルカが加除した数例を指摘してみよう。

ルカ22－48　ユダの口づけについて、マルコ伝よりも婉曲に伝えている。

ルカ22－51　イエスが祭司長の僕（しもべ）を癒（いや）した事実を付け加えている。またルカは、「弟子たちは皆、イエスを見捨てて逃げ去った」（マルコ14－50）を省いている。また22－60では、「ペテロの〝激しい誓い〟」（マルコ14－71）を省き、22－61（「主は振り向いてペトロを見つめられた」以下）を付け加えている。

ルカ22―63～65　イエスに対する裁き手たちのひどい仕打ちを略している（マルコ14―65、同15―16～20参照）。

その上でルカは23―34を付け加える。またルカは「イエスと同時に磔刑となった2人の犯罪人の一方がイエスを罵り、もう片方がそれを窘めた」という出来事を付け加える（23―39～43）。さらにルカは「エロイ、エロイ云々」（マルコ15―34）を省き、その代わりに「イエスは大声で叫ばれた。『父よ、私の霊を御手に委ねます。』こう言って息を引き取られた。」（23―46）を加えている。

このように、詳しく比較してみると、マルコ伝のキリスト像とルカ伝のそれとは少し異なることが分かる。マルコは現代の新聞記者を思わせる『客観的で非情とも思える文体』で、イエスを〝ただ死刑を受ける者〟として扱った。一方のルカはむしろ『忍耐強く、寛大なイエス像』を描き上げた。こういう言い方が許されるなら「マルコは読む者の背筋を寒くさせ」「ルカはわれわれの涙を誘う」のである。

ペルソナ同士の関係性

ところで、本書中で繰り返し強調するように、「キリスト教」とは「キリスト自身に関する教え」なのであり、その核心は「キリスト自身との出会い」である。当然ながらキリスト信者の確信はまず、キリストが今も現に生きていることを前提とする。さらにその核心はもう一つの前提を含んでいる。それは、「キリストは信者が語りかける相手である」ということだ。

自我に目覚める頃、若者たちはよく『私はなぜ私なのか』と自問する。「私」は〝一個の体〟を持つから〝唯一の私〟である、とも言えそうだが、よく考えてみれば〝私の体〟と「私そのもの」とは違う。このように思考を進めると、「私であることは〝一個の体〟によるのではなく、『私』とはそれを超えた存在なのだ」という結論に至る（その結論を得る前に、考えることを諦める若者も多いが）。

目に見えるこの私を「私」たらしめる〈真の私〉を、古くから西欧の神学者や哲学者は「ペルソナ」と名付けてきた。したがって「ペルソナとしての私」の姿を保つことこそが私にとって真の存在理由であり、私のユニークな価値の基礎となる。

さらに、ペルソナは相互関係を持っている。一般に「社会」と呼ばれる〝他のペルソナとの共同体〟はその一つだが、ペルソナとしての人間同士の関係は、目に見える次元にとどまらない。たとえば、恋人を愛することは、その人の体型や顔つきを愛することではなく「その人自身」を愛することである。それはすなわち、ペルソナとして相手を愛することだ。友情に例を取ってもいい。『なぜこの人が友人になったのか』という問いに対する答えは一つしかない。「彼が彼だから」である。そこにもペルソナとペルソナとの関係がある。

このように、人間の最も深い「我（われ）」の中には、「汝（なんじ）」に向き合う指向が含まれている。「汝への指向」がなければ、「我」は成り立たない——と言ったほうがいいかもしれない。こういう人間の隠れた、しかし真の実存を指すために、ペルソナという言葉が使われる。

言うまでもなく、「キリストと私との繋（つな）がり」もまた、ペルソナとペルソナという関係である。それはまず、〈キリストが「真の私」と関係を持っている〉ことを意味する。キリストとの関係は、ユニークな者としての私を活かすとともに、私という絶対的な価値のペルソナを裏づける。一方、その繋がりの中で相手であるキリストは、愛とか喜び——もしくは賜物——ではなく真のペルソナであって、生きているキリスト自身なのだ。

ペルソナという概念など、漠然としていて何の役にも立たないとお考えの向きがあるかもしれない。ペルソナは結局、マルコやルカが描くイエス像を理解に導く道具に過ぎないので、もし読者諸兄姉が自論を構築されるうえで邪魔になるなら捨てられても一向に差し支えはない、「キリスト教とは生きているキリストとの出会いである」ことを肝に銘じてさえもらえるならば。

なぜ十字架だったのか

現代人の目にも残酷な死刑執行術

奥村一郎師は、『神とあそぶ』という本の中で、おばあさんや4、5歳の子どもから「イエスはどうして磔（はりつけ）なんかになったのか」と問われた体験を書いている。その問いに応えようとした師は、彼らに分かってもらえる言葉を見つけることができなかったという。それでは、働き盛りの人に向かって、十字架の意味を説明できるだろうか。ひとつやってみよう。

時々、「償い」という言葉が用いられる。その概念は、法律用語としてなら社会で通じるだろうが、神と人間の関係における「償い」となると難しくなる。十字架の意義を考える際にはまず、キリストが十字架につけられたことを史実と認め、歴史上の事実に立脚しなければならない。十字架が予定されていたかどうかという要因や、何かのためにあったのかという目的を探す以前に、歴史上の出来事として見なければならないのだ。

次に、信仰の立場からするなら、「十字架」を「復活」から切り離すことはできない。新約聖書を一瞥してみよう。

パウロは確かに「十字架」を重視している。そしてそれを罪と結び付け、「キリストの死」に言及するたびに「復活」を付け加え、ひとまとめとしてキリストの業を宣べる。

マルコは、十字架を「イエスの本質の啓示」として見る。すなわち、百卒長が言ったように「十字架につけられたイエスは神の子」なのである。

マタイとルカは十字架を、迫害された預言者の延長線上に見て、「殺害されたイエスは義人であった」と強調する（マタイ23－34、ルカ11－49～51、同13）。

このように、新約における十字架の理解はさまざまである。

一方、現代人はキリストの神性を認めるにしても、イエスが真の人間であることを強調したがる。それは、5世紀のよく知られた「信仰宣言」と合致するし、〝下からのキリスト論〟の土台でもある。イエスは真の人間であるから、必ずある時がくれば死ぬ。問題はその死に方である。

使命を帯びたイエスはその革命的なメッセージを果敢に宣べる。自信満々でユダヤ人のリーダーを蔑ろにした。それゆえに彼らの反感を買う。またイエスは、貧しい人々の味方として振る舞う。それを金持ちたちは許さない。さらにイエスは、「自分の教えは律法に勝る」と主張する。それは神権政治に対する反逆になる。イエスの反体制的な態度は、権力者側からの攻撃を呼び起こしたばかりでなく、彼らはイエスの抹殺をも求めるようになる。その時点でイエスを救い得るものは〝イエス支持派による蜂起〟という名の暴力だけだったろう。しかし、イエスは愛を語り、世間的な力の行使を拒絶する。その結末は容易に予想された。

「人類に独り子を与える」という「神の愛」

十字架は、当時の人の目にも現代人の目にも残酷な、死刑の執行術である。しかしこの処刑法はローマの習わしであり、当時その刑を受けた罪人は少なからずいた。イエスの傍らでも2人の無名の死刑囚が、十字架上で死んだ。イエスは、人間の一人として一定の時代、一定の国で生きており、状況に適った死に方をしたのである。

神の態度を考える際に神の御旨を推測することは、人間に過ぎない私たちにとって極めて難しいということを忘れてはならない。神が十字架を目論んだとはまったく考えられない。神には人類の幸福を目的とする計画はあるが、その中に十字架がプログラムとして予定されていたことなどあり得ない。けれども、父なる神がイエスを十字架から助けなかったのは事実である。いや、助けることができなかったと言えるかもしれない。神は人間に自由を与えたので、〞自由意思に基づく人間の判断〟を制御しなかったのである。

そう考えれば、父なる神の沈黙の中で「神の痛み」を推測することが容易になる。あるいは「神は、その独り子を与えるほどに世を愛した」（ヨハネ3－16）という句を味わうことができる。

古来、〈「愛する」とは、相手に自分自身を捧げること〉と定義されている。「独り子を与える」という「神の人間に対する愛の行為」は、神の自己譲与を表わす。その賜物であるキリストは、すでに人間に与えられているがゆえに、神に戻り得ない。そこでの神の沈黙は、人間に対する無尽蔵の愛を物語っている。

それにしても、「独り子を与えるほどの愛」とは、何と非常識であることか。パウロは「そのとおり！」と膝を打って断言する、「神のやり方は愚かな方法である」（1コリント1－21）と。この愚かさに太刀打ちできる者がいようか。

そして「復活」

イエスの復活

復活は史実を超えた真実

イエスが十字架上で死んだのは疑い得ない史実である。そして「十字架上で死んだキリストが、葬られて3日目に復活した」と、キリスト教は教える。それは何を意味するのだろうか。

それはまず、〝一度死んだ後、死ぬ前の状態に戻った〟という意味ではない。キリストの復活は「キリストが今も生きている」こと、そして「キリストは永遠に生きる」ことを意味するのだ。キリストは現に生きている、目に見えない形で。復活したキリストの体は、時間と空間という次元には置かれておらず、〝いつかもう一度死ぬ体〟ではない（ローマ6－9参照）。

「復活」の重点は、「キリストが生きている」ことに尽きる。したがって、キリストの復活を信じることは、〝ある日イエスが復活したという出来事を認める〟ことにとどまらず、「キリストは本当に生きている」と認めることである。

ここで「史実」と「真実」という区別を設けるなら、キリストの復活は史実であるよりも、真実であると言わなければならない。歴史学の世界で「史実」とは「時間と空間という次元において本当に起こった出来事」と定義される。すると「キリストの復活」はキリストが時間と空間から脱出したことを意味するので、史実と見なすことは難しい。

他方、キリストが生きているのは真実である。科学的な意味での証拠がないにもかかわらず、それは真実なのだ。そもそも〈証明できないから偽りだという考え方〉そのものに誤りがある。何事も本来、真か偽かである。偽を証明できないのは当然だが、真だからといって証明できるとは限らない。「彼は信用できる人物だ」とか「彼女は私を愛している」とか言うとき、話し手はそれを真実として表現しようとするが、そこに証拠があるわけではない（しるしはあるとしても）。あるいは、目の前に美しい仏像があるとしよう。その美しさを証明することはできないが、にもかかわらず、それはまことに美しい。

要するに、真実の存在は証拠によるわけではない。キリストが現に生きていることは真実であり、また、それがキリスト教の根本である。

それを表現するために、「イエスは確かに死んだ。そのイエスが復活した」という形で述べるのはごく自然なやり方である。実際、『キリストの復活』、あるいは『キリストが復活した』という表現は、よく使われてきた。

この言い方は、〈イエスが起き上がって墓から出て来た〉という歴史上の出来事を思わせる。しかし前述のように、「復活」は純粋な歴史上の出来事ではない。「死」から「生命（いのち）」への移行はあったが、それは〈時間という次元を離れること〉だった。復活の歴史性に則して言うなら、「超歴史的な出来事」と言わなければならない。

ところで、キリストが生きていることを表現するには、「キリストが復活した」のほかにも言い方がある。それは「キリストは父なる神の右に座す」、または「神の右に挙げられた」といった表現法である。それは「キリストは神の隣にいる」「キリストが神の次元において生きている」「キリストは神の『高挙』に与る」という意味を表現しようとするものだ。

それらの表現法をもって、「挙げられた」という聖書のことば（ピリピ２－９）を活かすためには、「キリストの〝高挙〟（Exaltation）」を使うのが最も適切だろう。「キリストの復活」も「キリストの高挙」も、ともに「キリストが生きている」ことを表わす。

復活の〝しるし〟

キリストの復活を裏づける〝しるし〟はまず、キリストの出現である。コリント前15－３～８で、パウロはキリストの復活を取り上げている。この手紙は西暦55年に書かれたものだ。パウロはこの箇所で、49年にコリントで教えたことを、コリント人に思い起こさせる。しかも、それはパウロ自身の教わったこと（同15－３）でもあるので、この教えはキリスト教の当初からあったということが分かる。パウロはここでキリストが死んだこと、葬られたこと、蘇（よみがえ）ったことを、はっきりと教えている。それから、キリスト出現に関する証人のリストを書く。

このテキストは明晰（めいせき）である。ただし、次の二点に留意しなければならない。まず、この証人は

「キリストが復活した」という出来事の証人ではなく、「生きているキリストが出現した」ことの証人であること。次に、この証人は教会内の高名なメンバーであって、信者であること――この二点である。

福音書も、キリストの出現をいくつか伝えている。マタイ28章、ルカ24章、ヨハネ20、21章を一読してほしい。福音書記者の中でマルコだけは、キリストの出現を伝えないが、キリストが復活したことは、はっきりと宣べる（マルコ16－6）。

使徒言行録もその出現に触れている（1－3）。出現はキリストが生きているしるしだが、復活したキリストは時空を超えた存在なので、出現はむしろ例外とも言え、「信仰に導くしるし」と表現するのが適切だろう（特にルカ24－30を参照）。

あえて言うなら、奇蹟的な現象は〝キリストが見えないこと〟ではなく、「キリストが現われたこと」なのだ。

その他、「墓は空であった」というしるしもある。4つの福音書が筆を揃えて「キリストの墓が空になったこと」を伝える。現代の聖書学者も、その記述に疑問を差し挟む理由はこれといってない、としている。つまり、キリストの墓が空になったことは史実と認められているわけだ。が、もちろんそれは、ただちに「キリストが復活したこと」の証明にはならない、必要条件ではあるとしても。「空になった墓」から「復活」を導き出すには飛躍がある。そういった飛躍は、福音書にも、パウロにも、神学者にも見られない。

「復活」肯定への道程

①〈復活後の「イエス出現」に関する記述は、福音記者によって違うし、パウロのリストとも違うので、信憑（しんぴょう）性に乏しい〉とする立場がある。しかし、それらの証言の間に相違があるとしても、その相違は程度の問題であり、結局どれも大同小異に留まる。少なくとも、福音記者やパウロの主張――「キリストが生きている」――は同一である。

②信者の前にだけキリストが現われたので、「それを見たと証言する者は、等しく先入観をもっていたに違いない」とする反論もある。しかし、「信者の前にだけ」という点には少々疑問がある（たとえば、エマオの弟子や、迫害者だったパウロも目撃証人だ）し、第一、超歴史的な出来事の証人らは、〈『超歴史的な出来事などありえない』という先入観を持たない者〉だった。

③キリストの復活は、確かに〝俄（にわ）かには信じがたい〟出来事であって、四つの福音書もその点を認めている（マタイ28－16、マルコ16－14、ルカ28－38、ヨハネ20－25参照）。

④新約聖書全体が「キリストは生きている」という信仰の上に成り立っている。キリストの弟子は、その当初からキリストの復活を信じていた。彼らが信じていたこと自体、史実である。聖書によれば、この信仰は「キリストの出現」から生まれている。もしキリストの復活が真実でないとすれば、弟子の信仰は錯覚に過ぎないことになる。その場合、その錯覚がなぜ起こったかを明らかにしなければならない。平たく言えば、〈キリストが復活しなかったならば、その弟子はなぜそう信じたのか〉ということだ。現在に至るまで、その点に関して納得のいく説明が行われた

試しはない。

⑤「キリストは生きているが、それは我々の心の中で思い出として生きている、という意味だ」と考える人もいる。この見方に従っても、キリストは人間の生き方の〝模範〟となり得るし、〝愛の対象〟ともなり得るかもしれない。しかし、祈りの対象である「あなた」になることはできない。その点で、〝キリストは思い出として生きているに過ぎない〟という考え方は、新約聖書の伝えるキリストとは違う。

復　活

キリストの時代の「復活」観

キリストが活動していた時代、熱心なユダヤ人は「人間は死んだ後、復活する」と信じていた。つまり「復活」は当時のユダヤ人にとって〝当たり前の認識〟だったのである。

新約聖書を読めば、それが分かる。ファリサイ派の人は復活を信じていたが、サドカイ派の人はそれを信じていなかった。パウロはその違いを利用したことがある。取り調べを受けたとき、彼は「私は復活を信じていることで、裁判にかけられている」と、敢えて口にした。裁判官の中にはファリサイ派の人物もサドカイ派の人物もいたので、さっそく判事の間で激しい論争が起こった。そうしてパウロ自身の取り調べは忘れ去られてしまった（使徒言行録23－8）。

またある日、復活を信じないサドカイ派の人がキリストに質問した、「一人の女性が次々に7人の夫に死なれて、次々に7人の男に嫁いだとする。復活のとき、彼女はだれの妻になるのか」。イエスは「復活するときには、娶ることも嫁ぐこともない」と答えた（マルコ12－18～27、ルカ20－27～40、マタイ22－25～30）。

他方、福音書に出てくるラザロの妹マルタは「終わりの日――復活の日――に復活することを私は存じております」とはっきり言う。

このようにキリストの時代、復活は一般的に信じられていた。

私にとって「復活」とは――イエスは生きている

復活は信仰の対象

私は、キリストの復活についての本を上梓したことがある（『キリストの復活』／1997年／新教出版社・刊）。それは聖書を掘り下げた神学研究の書だった。当然のことながら「復活」を信じる観点からデータを取り扱っているが、著者個人の信仰を開陳するものではない。

本稿はそれと異なり、筆者自身の信仰告白ともいうべきものである。実は、前述書を書き上げた時点で、著者自身の信仰と読者のそれとは必ずしも一致するものではないことに気づいた。そこで、両者のズレを明らかにすることを本稿の目的の一つとした。

問題はこうである。本書収載の別稿で触れているとおり、キリストの復活を純然たる歴史上の出来事と見做すことはできず、「復活」はあくまでも信仰の対象であることを主張しなければならない。ところで、この正しい主張が出来事の真実性をいかに度外視しているか、あるいは、いかにしてそれを根拠とするか、という問題が派生する。つまり、信仰はある程度把握できる史実を孕んでいるのか、それともまったく知り得ない出来事の意義のみを内容とするものなのか——

こうした問いに対する応え（答えでないことに留意）は、信者によってさまざまだろうが、一般的に言えば〈描写できない復活を信仰の対象として強調〉する一方で、〈福音に出てくる話の信憑性を疑問視〉する人が少なくないと私には思える。

こうした傾向を煽る教説として、ブルトマンの影響は大きい。彼は史実としての復活を否定し、『イエスはケリュグマの中に復活した（dass Jesus Kerygma auferstanden sei）』と主張する。ブルトマンの立場を理解しようとするなら、彼の考えている「ケリュグマ」の意味を明解にし、彼の煩瑣な神学を解明しなければならない。その力業は私の手に負えるところではないし、それに、そうすることは本稿の目標でもない。そこでただ、〈私はキリストの復活という出来事をどう見ているか〉についてのみ、述べることにしよう。

私にとってキリストの復活は、単なる史実に留まらぬ「真実」である。これについては本章別項でも考察したし、ごく通常の見方と言えるが、あらためて少々説明すると以下のようになる。福音書の伝える出来事——空になった墓、さまざまな出現など——は、そのままでは信じ難い。

弟子を信じさせた何らかの出来事が起こっていたはずだと考えるとしても、復活それ自体の目撃者はいない。否、あり得ない。復活は「三次元のこの世からの脱出」なのだから。

「史実とは、写真に写り得る出来事である」と、しばしば定義される。その定義に拠るなら、復活は史実ではない。復活は「地上のイエスが歴史を超えて神のレベルに達すること」を意味するのである。

一方で、復活は真実である。より正確に言うなら、信仰の対象は復活という出来事よりも、イエスが今も実在しているということである。つまり、キリストの復活というよりも、ルカが書き記しているように「イエスは生きている」と表現した方がいい。生きているイエスの生命は、神の生命と同様である。信者たちが日頃唱える「信仰宣言」がそれを明言する、「死者のうちから復活して、父の右におられる主イエス・キリストを信じます」と。

あるいは「イエスが父の栄光に入った」という聖書の言葉を思い出してもいい。生きているイエスの姿は目に見えないが、その臨在は真実である。

使命への目覚めを意識した体験

私は、イエスは生きていると信じている。その信仰を肉づけするため二、三の経験を述べてみる。

私はフランス・リヨンの熱心な信者の家庭に生まれ、幼少期からイエスを信じていた。あるクリスマスの祝いが信仰を意識する機会になったという思い出が残っている。そのとき何歳だったか覚えていないが、おそらく幼稚園児の頃だったと思う。当時、リヨンではサンタクロースのことはまだそれほど真面目な話題と看做されていなかった。私の家にも『イエス様が夜、煙突から降りて、暖炉の前に並べられた各人の靴の中に贈り物を置いてくれる』というお伽話が定着していて、私はそれを信じていた。（かなりの年月を経た後に、贈り物の主は両親であると知った）。

その年のクリスマスの数日前、家人から「お前はクリスマスプレゼントに何がほしいか」と訊かれた。私は答えなかった。『答える必要はない。イエス様はとっくにそれをご存じじゃないか』と、内心不満だった。家人は質問を繰り返したが、私は黙り続けた。沈黙の理由は私には明らかだった。大人たちの態度の方がおかしかったのだ、イエス様は私の心などお見通しのはずではないか。

私は23歳のとき神学校に入った、おずおずと。冷静に考えれば神父の生活は柄に合わないと思ったし、神学校の厳しい制度が恐ろしかった。父親をはじめ周りの者は、私が卒業まで耐えられるかを疑っていた。

ところがいったん神学校の門を潜った後、そこを出ようと思ったことは一度もなかった。神学校時代の7年間、神父になりたいという願望に迷いが生じたことはまったくなかったのである。なぜだろうか。

唯一の、また確固たる動機は、『キリストがこの私を呼んでおられる』という確信だった。この確信がなければ、神父になれるはずはなかった。と言っても、その確信は特別な経験によるものではない。私はそれまでもそれ以降も、いわゆる〝神秘的な現象〟に遭遇したことはない。ただ、〈『良心の声が聞こえるように』と願うキリストへの呼びかけ〉を意識することはあった。それを例えて言うなら次のような次第となる。

――一人の医者がカリフォルニアで夏休みを過ごすつもりで飛行機に乗った。飛行中に一人の乗客の具合が悪くなった。スチュワーデスは「乗客の中に医師はいないか」と尋ねた。乗り合わせていたその医者は、休暇中にもかかわらず自分が呼ばれたと感じ、『その呼びかけに応えなければならない』と意識した――

私は、件の医師に似た心境を持ち続けた。

使命への目覚めを意識する体験は数回あった。最初は13歳のときだった。私はキリスト教系の中学校に通っていた。そこでは、こうした学校の特長の一つとして頻繁に「黙想会」が行われていた。行事予定の中に黙想会が設定されると普通科目の勉強は休みとなり、専ら説教を聞いたり祈りをしたり、聖書を読んだりして2、3日を過ごすことになる。

ある黙想会の最中、説教していた神父が「諸君のうちのだれかをキリストが呼んでおられるはずだ」と言い切った。私はそれを右から左へと聞き流し『自分には関係ない』と思おうと、即座に決めた。ところが、そう決めた瞬間、「もし、お前がキリストに呼ばれているとしたら……」という声が、心の中で聞こえたような気がした。私はその声を忘れようとしたのだが……

もう一つ、決定的な邂逅を思い出す。1942年の夏のある日――その頃フランスはドイツ軍に占領されていた――、私はリヨンからアルビに戻るため汽車に乗った。私はアルビで測量士として働いていた。この仕事は一時的なもので、それを一生続けるつもりはなく、本当は天職を追い求めていた。実を言えば、時には心の奥に、かすかな囁（ささや）きを聞くことがあった。「神父になれ」という小さな声が幾度も聞こえてきたのだ。神父の使命については大いに尊敬していたが、先述したように、自分が神父になることは考えもしていなかった。魅力と反発を同時に感じていたからだ。この悩みを神父の誰かに相談するという手もあったが、そうすれば神学校に入れと勧められるのは火を見るより明らかだった……

アルビはリヨンから遠く離れている。当時は汽車で15時間もかかった。汽車がゆっくり走っている間に思索を巡らす時間は十分にあった。車窓をフランス南部の景色が流れていく。穏やかな日だった。

モンペリエで一人の神父がその汽車に乗り込んできて、皮肉にも私の真向かいに座った。午後の4時頃だったように思う。神父は、スータンという黒い制服を身に纏（まと）っていた。座席に掛けるとほどなく、祈りの本を取り出して読み始めた。私はぼんやりとその姿に目を遣（や）っていた。神父の佇（たたず）まいはごく自然だったが、私にはなぜか不思議な威厳と魅力を感じさせた。そのうち、この神父に全面的に縋（すが）りたい思いが湧いてきて、話し掛けずにはいられなくなった。

「すみませんが、神父さま、私はアルビに住んでいます。アルビで私をよく理解してくださりそうな神父さまをご存知でしたら、教えていただけませんか」

私は、その自分の言葉にひどく驚いていた。自分を導いてくれる神父を探しているつもりなどまるっきりなかったからだ。自分にはそんなつもりはないと思っていても、あの時、心の底にそういう願いが潜(ひそ)んでいたのだろうか。私の言葉は、それを明るみに出したのかもしれない。ともかく、その一瞬のうちに私は、自分の願いが真剣であること、また相手の神父も真剣にそれに応えようとしていることを悟った。

神父は私をじっと見つめた。私の願いを奇妙に感じたのではないと思う。それどころか、私はそのとき、自分の心の底まで見抜かれているような気がしたのをよく覚えている。『この神父は私のことを私よりもよく知っている』――私はそう直感した。

その神父は、アルビ在住のD神父の住所を教えてくれた。神父は次の駅で汽車を降り、去っていった。今になっても私は、その神父の名前さえ知らない。アルビに戻り、私はD神父を訪ねた。そして、起こるはずのことがやはり起こった。1年後、私は神学校に入った。

「我」と「汝」の語り合い

こうした〝呼びかけ〟の経験は、使命の目覚めに至る道に沿う「道標」のように思われる。それをここで述べたのは、その自覚が信仰と密接に結ばれているからだ。すなわち、キリストから呼ばれていることを意識するのは、キリストが生きているという確信の前提があるからである。

今生きているイエスは2000年前に生きていたイエスその人である。復活は〝新しいキリストを生み出した〟のではなく、「地上のイエスを時間と空間を超える姿に変えた」のだ。復活の前触れである「ご変容」（マルコ9－2～10）もそれを教えている。復活したイエスと地上のイエスは同じエゴを有していると言うべきである。「人間たるイエスが復活によって神の子と定められた」とパウロも教える。信仰の対象は唯一、イエス・キリストなのである。

けれども復活を経た今、イエスの姿は目に見えない。エマオで弟子の目から見えなくなったが、それでも彼らはイエスが生きていることを知っていた。そしてイエスは自分の存在のしるしとして「パンを割（さ）いて弟子たちに残し」（エウカリスチアの原型）、さらに私たちにも残した。

幾度でも言おう、イエスは目に見えないが、確かに臨在している。イエスと私たちとの関係は〈「我」と「汝」の語り合い〉である。私たちから見れば「汝」たるイエスはしるしを通して私たちに語り、イエスから見て「汝」たる私たちは、祈りを通して彼と語り合っている。

ついでに、キリスト教用語について注意すべき点を指摘しておこう。私たちは「信仰」「恵み」「霊的な賜物」「義とされる」などの表現を盛んに用いる。しかしそれらの語句は結局、概念に過ぎない。それらの概念は、キリストまたは私たちに付く〝属性〟であって、リアリティーとしては実在しない。実在するのはキリストと私たちである。

さらに、生きているイエスの姿が神学概念の堆積の中に埋もれてしまうのではないか、と気になることがしばしばある。だからこれらの語句の使用には細心の注意を要する。

もちろん私も神学生時代に、イエスの復活を伝える福音書の記述に関する難問に幾度も出会った。出現の数もそのありさまも福音書により異なること、復活者の姿が奇妙に見えること、といった問題……　途中の説明を省いて結論を一口で言えば、福音記者もパウロも、イエスの復活を信じていた。彼らの信仰それ自体、疑いようのない史実である。そして、彼らは描写に絶する出来事の全てを、各自の才能に応じて描出しようとした。私が信じるのは彼らの信仰宣言によるのである。

　次に生じるのは、ではなぜ私がそれを信じるか、という問いだろう。子どもの頃、両親や小教区の人々から信仰を教わった。ごく当たり前のこととして教会のミサに参加し、そこで信仰の糧を得た。当時、神への信仰と良心の声とは密接に結びついていて、神を自分の良心の支えと看做(みな)していたような気がする。

　16歳の頃、『人間を漁(すなど)るもの』という「カトリック青年労働者連盟運動」の初期を描いた本を読んだ。この有名な本から受けた印象は強く衝撃的なものだった。そして「キリスト教の核心はキリスト自身である」と悟った。これは私にとって革命的な発見だった。

　信仰は本来、イエスの弟子の証言に拠(よ)る。しかしそれぞれの信者は、周囲の人々の信仰に依(よ)って信じる。そして信者の集まりである教会は、代々引き継いで信仰を伝える。長い教会史の中には数多くの証人（martyr）たる殉教者もいる。このように、教会の存在自体が信仰の**しるし**なのだ。私はこれに拠(よ)って信じる。

　また、信者の世界の外にも神の軌跡が見られる。例えば、一般的に認められている「生命の進化」は一種の目的性を内包すると思われる。目的性そのものが直接に神の存在を示すとは言えないが、それはキリスト教の世界観と合致する。また人々の活動を鳥瞰図的に眺めると、自然の資源を発見しその利用価値を研究する学者も、美しい作品を想像する芸術家も、平和のために働く活動家たちも、神の軌跡を追求しているのだと私には思われる。彼らの熱心な探求心は無意識の裡（うち）に、真・善・美そのものである神への憧（あこが）れを具現しているのではないか。さらに、全世界に徐々に浸透していっているヒューマニズムはイエスが蒔（ま）いた種の収穫ではなかろうか。赤十字運動がその顕著な一例だ。そもそも「神の国」はパン種に譬（たと）えられている。パン種は粉の中に消えていくが、その作用で全体を膨らます。

フランスに生まれ、育ち、生活した私は、信仰の環境の中に生きていた。家庭、友人、多くの周りの人々がキリストを信じていた。信仰は、だれからも攻撃も妨害も受けることのない穏やかな宝だった。

そんな私が50年前、日本に来た。そして――

「復活のキリスト」か「無」か

日本に来てから、キリストを知らない大勢の人々に出会った。その人々は皆、人間らしく生きており、人格的には何の欠陥も見えなかった。戦後、日本は驚くべきスピードで復興し経済的な繁栄をなし遂げただけでなく、社会道徳の面でも高い水準を保ってきた。さらに、人権擁護のための活動を行ったり、社会福祉に身を捧げたりする人も多い。そして、その人々の中にキリスト教徒はほとんどいない。

キリストへの信仰が無用とも見えるこうした状況において、信者であり、宣教師でもある私の存在理由が問われることになった。

まず考えなければならないことは、キリスト教の「真実――イエス・キリストの実在」は証明できないという事実である。この点について神学者の意見は一致している。信者の目には信憑性をもつしるしが見えるが、信じない人を納得させる証拠にはならない。たとえば神の存在の証明という議論は、信者に限ってのみ説得力を持つに止(とど)まる。信仰の証明がないのだから、信じない人がいることや、もしかしたらそのほうが圧倒的に多いのは当然のことであって、驚くには当たらない。

私は幼時から変わることなく信じ続けてきた。しかし、キリスト教を教えるという立場にあっては、「信じるべきこと」を整理し、その中心を再確認しなければならないと考えた。核心はもちろん「イエスの臨在」である。イエスが生きているという信仰を土台に据(す)えて初めて、聖書の意味が光を放ち、神の計画や教会の神秘を悟ることができる。つまり、キリスト教のさまざまな信仰箇条は――重大なものも二次的なものも含め――全て、イエスが生きているという事実のみに根拠を置くのである。

また、復活を無視しながら〝福音書が描き出すイエス〟を敬服する人々にも出会った。その人々は（本人は意識していないだろうが）、ルナン（E. Renan 1823－92）の後継者とでも呼ばれるべきだろう。イエスを〝今は亡き教師〟として深く尊敬しているのかもしれないが、そういう人々を信者と看做すのは難しい。

「わたしは世の終わりまで、いつもあなたがたとともにいる」というイエスの言葉を私は信じる。そして〈イエスが私たちとともにおられるという状況〉の基礎は、「復活」に他ならない。

加えて、イエスが生きているという信仰を宣言できるかどうかが、正しい信仰の試金石だと断言したいと思う。もしも私がイエスの臨在を信じなくなったら、その瞬間、直ちに私は無神論者となる。私にとっては「生きているキリスト」か「無」か、という二者択一なのだ。

場合によって、〈生きているイエスがキリスト教の核心であることを把握すること〉は、信心が辿る長い道のりのゴールになる。

一例を挙げてみよう。国連の事務総長で1961年に飛行機事故で死んだハマーショルドは、人間味と信心に富んだ『道しるべ』という本を遺した。その遺作の前半で、彼は信仰を「神と魂との合一」と定義していて、キリスト教的なヒューマニズムを抱いていたことが分かるが、その時点では、彼の信心がそのレベルに止まっているという印象も受ける。しかし彼は、『道しるべ』の終わり近くでこう書く。

「その後、この道を辿るうち、私は一歩一歩、一語一語、悟っていったのである。すなわち、福音書の主人公が述べる一言一句の背後に、また『酒杯をわれより過ぎ去らせたまえ』という祈りの背後に、さらにはその酒杯を飲み干そうという約束の背後にひとりの人間が、そしてひとりの人間の体験があるのだということを」（鵜飼信成訳／みすず書房／新版1999年）

ハマーショルドは福音書を反芻し、その結果「イエスの臨在」を発見してはっきりと書く、「イエスは小説の主人公でもなく、救世のシンボルでもなく、倣うべきモデルでもなく、一人の生きた人物（英訳では one man）である」と。多くの人がこのような目覚めを体験できたらと思う。

日本に必要なのは〝優れた神学者〟よりも「和製プラトン」

イエスの生命は神の子の生命であって、目に見えない生き方だから、「イエスが生きている」という信仰は、一種の哲学を前提とする。前提とする哲学とは、「目に見えないものが存在し得る」という原理である。

もし存在するものが目に見えるもの、手に触れ得るもの、つまり〝五感で感覚し得るもの〟に限定されるならば、目に見えないものは存在しない。よって、神も存在しない。「目に見えないものが存在する」と断言するときには、「存在」という概念を超越的な次元まで拡大することになる。

そこで、体験できないものが存在する、または存在し得ると考えるのは、人間の精神の自発的な働きか、それとも哲学的な教育を必要とするかが問題になる。両者のうちどちらが正しいのか、私には判断できない。もしかしたら両者は両立するかもしれない。人間の本性に潜んでいる可能性を、教育が露わにする可能性もあるのだ。いずれにせよ、信仰は「存在」の形而上学的活用の上に成り立つ。

さらに、キリスト教において目に見えないモノは〝物〟ではなく「者」である。人間の思想や感情は〝物〟として存在するが、その人の存在の属性に過ぎず、「者」ではない。神もイエスも「者」として生きているのである。

現代を生きている日本人の間では、目に見えないものが存在し得ることを認めない考え方が大多数だろうと私は思う。存在するのは目に見える〝物〟しかないらしい。この哲学の欠如こそ、日本におけるキリスト教の停滞の主な原因ではないかと私は推察する。もちろん、これは私見に過ぎない。ついでに言えばその欠如は、中国文化が永年与えてきた影響によるものではないかと愚考している。

それを別とすれば、美の感覚に富む日本人は美しい芸術作品の鑑賞を「超越的な美」の存在へと演繹できる才能を持っている。しかし実際のところ、美の鑑賞は作者の心を追求するに止まっているのではないか。バッハの音楽を鑑賞しても、それはバッハが信じる神への信仰には到らない。

私の世代の西洋人は、その人生の中で直接に哲学を学ぶことがなくても、間接的にプラトンの影響を受けている。「目に見えないものこそ存在する」というプラトンの公理は、今も昔も西洋の文化の誘因として働いているのである。多くの日本人は「目に見えないものこそ存在する」と聞くと、内心、『そんな荒唐無稽な……』と思うだろう。けれどもそれが、偉大なプラトンの考え方の根本なのだ。

もし、日本のキリスト教の現況について私の観察が正しいとすれば、宣教の立場からみて、日本に必要なのは〝100人の優れた神学者〟よりも「一人の『和製プラトン』」である。

以上、私は〝目に見えるもの〟と「目に見えないが実存する者」について、いささか饒舌に述べた。本書別項と重複するところがあるとの批判は覚悟の上である。そのことを弁解するつもりはない。パウロはコリント人に「目が見もせず、耳が聞きもせず、人の心に思い浮かびもしなかったこと」（一コリ2－9）を教えていた。それに倣ったつもりである。

生きておられる――しるしを通して示されるその存在

時間と空間という次元を超えて

西暦34年4月7日（金）午後3時頃、イエスは十字架上で息を引き取った。ところが、磔刑から丸2日を経過して3日目の日曜日の午後になると、「イエスが復活して、生きている」という噂が伝わり始めた。初め、それを信じた人は少なかった。十二使徒とその他一部の弟子ぐらいだった。使徒言行録は120人という数字を挙げる。たびたび数字を水増しすることのあった聖書記者の傾向を考えると、120人以上だったとは思われない。とりあえずスタートは121人だったとしよう。それが現在では、世界人口の3分の1――統計によれば28％――の人々が、「キリストは生きている」と信じている。

キリストは生きている。「十字架上で死んで後（のち）、神の許（もと）に移って神とともに生きている」のである。「生きているキリスト」は、時間と空間という次元に置かれていない。キリストは、そのような形で永遠・普遍的に生きているからこそ、いつの時代にも、どんなところにも人間の近くにいて、人々に呼び掛けることができる。

イエスの死は史実である。が、イエスが死んでから永遠の生命に移ったことを意味する「復活」は、果たして史実なのか。『史実とは三次元内に起こる歴史上の出来事』だとすれば、イエスの復活は史実とは言えない。キリストの復活はむしろ「歴史からの脱出」なのである。

「キリストが生きている」と証言する人は極めて多い。しかもその中には、証言をするため一命を犠牲にした人――すなわち殉教者――さえ無数にいる。日本だけでもその数は1万人に達する。パスカルは「証人がそのために死を辞さない断言を私は信じようと思う」と、殉教者による証言の重さを認めている。

しるしはリアリティーに通じる唯一の道標

生きているキリストは目に見えないが、その存在は「福音書」と「信仰共同体（教会）」というしるしを通して示されている。教会は信者の集まりであるだけでなく、キリストを内在する場である。「二人または三人がわたしの名によって集まるところには、わたしもその中にいる」というキリストの言葉は、教会において実現する。

福音書は、地上のイエスの言動を伝えるばかりではなく、その読者に語り掛けるキリストの声でもある。「わたしは世の終わりまで、いつもあなたがたと共にいる」とキリストは言った。しるしがあってもその姿が目に見えないので、『キリストが生きているとは信じ難い』と疑う人がいるかもしれない。信じ難いかどうかはさて置き、キリストが生きていることは信仰の対象であって、確実に証明されるものではない。換言すれば、キリストは人間の自由を尊重して、自由な決断としての信仰へ誘うという段階に留まっている。「しるしを見抜く者はさいわいである」という言葉が現実味を帯びる所以である。

ところで、しるしというものは、超越的なリアリティーに通じる唯一の道である。例えば、ベートーベンの第五交響曲を聴くとする。聴いた人はその曲の美しさに感動する。が、その美しさはどこにあるか。『楽器の作る音の中にある』と言っても、物理現象である〝音〟そのものではない。超越的な価値である「美」が、音の組み合わせというしるしを通して伝えられるのだ。キリストの超越的な存在も、しるしを通してのみ把握できるのである。

もう一つ音楽の例えを示す。「キリストが生きている」ということは、ちょうど『モーツァルトが生きている』というのと同じではないか、と考える人もいる。すなわち、モーツァルトがその作品によって今なお生きているのと同様に、キリストもその福音によって今も生きているという見方である。しかしその比較は間違っている、私たちはモーツァルト自身に向かって祈りはしない。だがキリストは祈りの対象なのである。

「不可視の栄光」は普遍性の基本条件

信仰宣言では「死者のうちから復活して」という句に続いて「父の右におられる」という言葉が出てくる。〈父なる神と共におられる〉ことが、キリストの復活の意義を明らかにする。すなわち、栄光を受けたキリストはもはやこの世に属せず、時間と空間の次元を超えた生命（いのち）に生きている。

人類史からの超脱

その真実は、復活を〝歴史上の一つの出来事〟としてよりも「人類史からの超脱」として見るよう、私たちに促す。

「復活」という表現は、イエスが生前の姿に戻ったことを少なからず連想させる。この誤った解釈を防ぐためには「生きておられる」（ルカ24－23）という表現を選んで用いるのがよい。

栄光のキリストは目に見えず、その姿は想像しがたい。そのため、復活を描く絵画は少ないし、あっても大抵は精彩を欠いている。

それにもかかわらず、「一切の権能を授かっているキリスト」（マタイ26－18）は「いつも私たちとともに」（マタイ28－20）いるのである。

栄光の不可視性は、キリストの普遍性の基本条件である。キリストは超越的な次元に生きているからこそ、あらゆる時代の一人ひとり、至るところに住む一人ひとりに近づくことができる。そして、一人ひとりのうちに留まり得る（黙示録３－20）。そういった普遍的な臨在は、この世のレベルを超える生き方によってもたらされる。

私たちは最初の弟子たちと違って、出現の目撃者ではない。しかし、「見ないのに信じる人は、幸いである」（ヨハネ20－29）というキリストの言葉に導かれる。「信じる」とはまさに、「キリストと出会うこと」なのだから。

キリストはその姿を見せないが自分の臨在のしるしを私たちの目の前に置く、特に聖体というしるしを。エマオで、イエスは自分の姿を消した。そのとき「パンを割く」という決定的なしるしを残した（ルカ24－30～35）。「パン割き」はエウカリスチアとも呼ばれるが、それは「聖体」の別称である。

あえて今、キリストの復活を叫ぶ

キリストは今、私が生きているのと同じ形で生きている

「キリストの復活」という言葉を聞くだけで疑いを抱く人がいる。それには理由がある。もちろん、キリストが復活したというのは、キリストがその生前の生活に戻ったという意味ではない。

そうした誤解を解いてもなお、疑問は残る。

第一、キリストの復活は２０００年も前に起こったことだから、歴史上の出来事の一つと言えるかどうか疑わしい。目撃者はいなかったし、復活それ自体がこの世の現象でもなかった。なにしろ「キリストの復活」とは〈キリストが神のもとに行く〉という意味なのだから。

仮に、復活が史実だとしてもそれは、はるか昔に過ぎ去ったことではないか。

では、「キリストの復活を宣言する」というキリスト教信者の行為は、紀元30年の春に十字架上で死んだイエスのメッセージを宣べ伝えることだけだろうか。

例えば今、モーツァルトの曲を聴いてその美しい曲調に陶酔する人は「モーツァルトが生きている」と言う。同じように、「残されたメッセージがあるからイエスは生きている」と言えるのか——

そうではない。キリストは目に見えない形ではあるが、本当に生きているのである。生きているキリストに向かって、信者は話したり祈ったりする。「キリストの復活を信じる」というのはパウロ自身の断言であり、現代の信者の立場でもある。

そもそも、キリストがキリスト教の『教祖』であることは間違いない。しかし生前のイエスは、教団を設立するための憲章や指令など、何も言い遺（のこ）さなかった。だから地上のイエスの言行と、初代教会の信仰との間にはズレがある。

そのズレを埋めて両者を繋ぐもの、そして教会の基礎を築くものこそ「キリストの復活」に他ならない。

キリスト教を成立させるのはキリストの教えだと考えられる。そしてその教えは「隣人を愛せよ」という教訓に纏められるのが普通だ。

ところが〝愛〟はキリスト教固有のものではなく、他の宗教が説くところでもある。キリスト教特有のものと言うなら、それは「わたしに従いなさい」というイエスの命令である。

私たちが従うべき対象としての「わたし」は、抽象的な理念ではなくイエス自身なのだ。

すなわち、キリスト教の核心は「生きているキリスト」である。そしてキリスト教信者とは、「生きているキリストに属する者」だ。さらに言うなら、「生きているキリストは、十字架上で死んだキリスト以外の誰でもない」のである。

復活を抜きにしてイエスの姿を描き出そうとする歴史家もいる。結果はさまざまだ。ある人によれば、イエスは政治に身を投じた反体制運動のリーダーだった。他の人は、博愛を説いた柔弱な夢想家だったと言う。そのようなイエス像は、キリスト教の核心であるキリストとは縁のない〝空想〟に過ぎない。

「キリストが生きている」と信じるのは「キリストが復活した」ことを前提とする。キリスト教に関して興味を持つ人は、復活への信仰の要点とその範囲を当然調べ、さらには信仰の根拠である当時の証言を吟味して検討しなければならない。

結論を出そう。

それらの努力の後であろうと、その前であろうと、トマスのように「わが主よ、わが神よ」と叫べる人は幸いである。

わかる――復活が史実なら、キリストの降誕と教会の発展は、わかる

〝わかる〟とは理性の働きか、それとも感覚か

人間はものがわかる。むずかしく言えば、「真理を把握するために人間は理性をもっている」。そしてその理性は、人間を真理へと導く唯一の道である。ただし理性の働きは、論理的な三段論法ばかりでなく、直観をも含む。

「見ればわかる」と人は言う。『わかる』とは理性の働きだが、〝見てわかる〟場合は、視覚という〝感覚〟に拠(よ)っている。病気になったとき、医者の診断により病名がわかる。それは、医者を信用することによるわかり方である。

また「研究すればわかる」と言う場合は、その学問を適切な方法で活用することに拠って真実を理解できる、という意味となる。

さて、〝信じる〟のは〝わかる〟ことと違うのだろうか。

〝わかる〟ためには、根拠ないし証明が必ず求められるが、信仰の場合はどうだろうか。信仰――ここではキリストを信仰することに限って論じる――は、感覚によるものでもなく、三段論法によるものでもない。

にもかかわらず、信じる理由は十分にある。

物理科学は原則として仮説を実験によって証明し研究を進めるが、実際には証明されていない仮説が用いられることも多いし、場合によってはその仮説が証明されないまま真実と認められるケースもある（進化論はその好例である）。この不整合は、時間という次元が現象の中に入ってくると実験が不可能になるために起こる。

歴史学ではどうか。学問としての歴史は、歴史固有の方法によってのみ立てられる。その方法は、過去の出来事に関する証言や証拠を研究することである。証言する証人や証拠となる遺跡・遺物の信憑性によって、史実か否かが決まる。

信仰の対象もまた、一義的には「歴史上の出来事」だ。すなわち「キリストの復活」という出来事である。キリストの復活が史実であるかどうかが、信仰の存否それ自体を決する。

したがって、信仰についても「研究すれば、わかる」と言わなければならない。

歴史の問題なのだから証人の信憑性を問うべきでもあろう。現代に生きる信者はウソつきではないし、昔の信者もまたウソつきではなかった。遡（さかのぼ）れば新約聖書という文献集の中にある証言に達することになるが、どれにもウソはないことを歴史が証明している。

つまり、キリストの直弟子がウソつきではなかったことは歴史家の目に明らかである。そのキリストの直弟子たちや後世の信者たちが「キリストの復活」を史実として述べている。なぜそんな断言をしたかを歴史家はわかりたいと思う。もし証人の言うことが本当でないとすれば、彼らはどうして間違えたのか。歴史家にはそれがわからない。

結局、キリストの復活が史実だとすれば、キリスト教の誕生とその発展は、わかる。史実でないとすれば、それはわからない。私はわかりたいと思う。

【編者註】動詞「わかる」には通常、さまざまな漢字が充てられますが、本稿では原著者G・ネラン師の遺志を尊重し、ひらがな表記としました。

生きている親友キリスト

なぜ信じるか

「信じる」という行為は自由な決断

ここで、「信じる」とは「キリストを信じる」ことを意味する。そして「キリストを信じる」とは、〝キリスト教のさまざまな教えに帰依して、教会が勧める生活を全うする〟ということでなく、「キリスト自身を全面的に信用する」ということである。

では、なぜキリストを信じるか。その信仰の正当性が証明されているからか？　そうではない。信仰である以上、証明され得ない。だから「信じる」のはあくまでも「自由な決断」である。神学的に考えれば、信仰が結局「神を愛すること」である以上、〝強制された愛〟はもはや愛ではない。

今、「信じるのは自由な決断である」と私は言った。それは不条理な行為でもなく、気ままな選択でもない。決断には理由があるはずだ。それを考えてみよう。

まず、信じることは自分にとってどういうメリットがあるのだろうか。信仰は難病を治さない。出世を約束しない。楽（らく）な生活を保証しない――　それは誰にでも分かる。

反面、「信仰は精神的な力である」となら言えそうだ。パウロは〝信者でない人〟を描いて「善をなそうという意志はあるが、それを実行できない」と述べる。そうであれば、「信仰は、実行させる力である」ということになる。ゆえに、実行力をもつ信者は優れた人物であるはずだ。

「信仰の対象」とは何か

実際にそうなのだろうか。世の中には、キリストを知らないまま、人のためにベストを尽くして命を捧げる人がいる、中田厚仁さんのような人物は稀ではあろうが、その存在は輝きを放つ。一方、〈実行へと導く力〉を持つキリスト信者の存在は、通常それほど目立たない。本人も周囲も『目立たないのは当たり前のこと』と弁えているからだ。

ここで見方を変えて、キリスト教の業績を一瞥してみよう。よくヤリ玉に挙がる〝十字軍〟〝宗教戦争〟〝黒人奴隷売買〟などは〝キリスト教の恥〟であると認めざるを得ない。

一方、ローマ帝国で行われていた剣闘士の殺し合いや、囚人を獣に食わせるという残酷な見世物を止めさせたのはキリスト教である。南アメリカのアステカ民族の間には人の心臓を抉り出し、それを太陽に捧げるという儀式が長く行われていたが、そのおぞましい慣習を止めさせたのもキリスト教だった。

さわやかな例も挙げてみよう。「国際赤十字運動」は全世界の人々から尊敬されているが、その精神はキリスト教に由来する。それを意識したイスラムの国は、同じ運動を興し、「赤十字」の代わりに〝赤新月〟とした。

要するに、キリスト教が歴史上で犯した過誤を全て認めた上でも、「キリスト教は人類にすばらしい貢献をした」と認めることができる。ただしその認識は、キリストを知らない人々を信仰にまで導くものではない。

そこで、「キリスト教にとって信仰の対象とは何か」を考えなければならない。その対象は〝系統化され整理された教義〟などではなく、イエス・キリスト自身である。キリストと信者にとって、信仰は互いを分かちがたく結ぶ絆（きずな）である。信者はキリストに愛され、キリストを愛する。「信じる」とは、いわば、恋愛に打ち込む心情に似ている。恋愛への誘いには魅力があろう。カミュの『ペスト』に登場する新聞記者はこう言う、「僕は報道記事を書くためにこの世へ生まれてきたんじゃない。そうじゃなくて、ある女と一緒に生きるために生まれてきたと思う」。そのとおり。半導体を売ることよりも恋愛する方が生き甲斐をもたらす。仕事は〝やり甲斐〟を生むが、「生き甲斐」まではもたらさない。

ところで「信じる」とは、〝一種の恋愛〟というだけに止（とど）まらない。信者は、キリストを信頼することを自由に決断して新たに生まれ、キリストにおいて自己を完結する。換言すれば、「キリストを知ること」と「自分がまともな人間になること」は同じ歩みである。

したがって「キリスト自身を愛すること」が信者の活動の原動力となる。キリストの死後約2000年の間に、全世界で殉教した人の例は数えきれないが、彼らはキリストへの愛から殉教の勇気を汲み取った。マザー・テレサのようにみごとな慈善事業を営む人の力もまた、キリスト自身への愛から湧き出ている。殉教と愛の実践——その源泉はまったく同じなのである。

親友を迎えて

真の愛を求める声

「たとえ私の顔が交通事故で半分潰(つぶ)れてしまったとしても、あなたはそれでも私を愛してくれますか。たとえ私が他の男に手を出してあなたを裏切るようなことになったとしても、それでもあなたは私を愛してくれるでしょうか」という問いは、『真の愛』を求める声である。そして、「だまされても、裏切られても、あなたをいつまでも愛する」というのが、『真の愛』の応(こた)えである。条件付きの愛はもはや愛ではなく、限られた愛はもはや愛ではない。「愛そのもの」は絶対性を蔵している。そして、人間の心にある〈愛を渇望するこころ〉とは、そういった絶対的なものを求めることなのだ。

　私たちは絶対に信用する相手を『親友』と呼ぶ。が、親友の存在はある意味で恐ろしい、親友は私の全てを知っているのだから。単なる知人や友人の知らないことも、彼は知っている。私が他人には見せたくない部分も彼は見ている。懸命に隠そうとしている恥ずかしい面さえ、彼は見抜いている。言ってみれば私の欠点を知り尽くした者——それが、親友なのである。

　他人に自分の欠点をあれこれと知られるのはいやなものだが、彼に知られるのなら構わない、彼は親友なのだから。彼の眼差しは愛に満ちている、それは親友が私を見る目そのものだ。その目で彼は私の良い部分を見、悪い部分を窘（たしな）めてくれる、私が彼を信頼することによって『良い人』になることを、見抜いているからである。そして彼の友情は実際、私の心を成長させ、私の人格を矯（た）め直す力となる。

親友の友情に想いを巡らす日

彼は私を信用する。他の人々も、私が苦しんでいれば同情を寄せて手を貸し、成功すれば褒めてくれるかもしれないが、それは所詮（しょせん）、社交辞令かその延長に過ぎまい。共に苦しみ、私自身以上に私の痛みを引き受けながら、それでも私自身から離れずに理解してくれる存在は、彼を措（お）いて他にいない。私が皆から軽蔑（けいべつ）され、うち棄（す）てられても、彼は変わることなく、私を『価値ある人間』と認めてくれる。自信を失ったとき、私は彼によって自信を取り戻すことができる。

私にとって、親友はキリストである。キリストは私のことを知り尽くしている。キリストの前で私は常に裸である。恥ずかしい部分を覆い隠そうとしても醜い部分を飾ろうとしても、全て無駄である。私自身よりも、キリストは私に精通している。

そして、キリストの愛は、あらゆる親友の友情にまさる。キリストは〝ありのままの私〟を愛してくれるのだ。こんなにも欠点だらけの私、このつまらない過去を持つ私、この将来覚束（おぼつか）ない私をキリストは信頼し、一人前に扱ってくれている。私がキリストの愛を忘れ、キリストから遠去かっても、キリストは私を忘れず、いつまでも私を愛していてくれる。かくて、親友であるキリストは私に喜びを、自信を、力を与えてくれるのだ。私にとって親友の誕生を記念するクリスマスは、その友情に想いを巡らし感謝する日となる。

私は神に「あなた」と言う

あらゆる概念を超える「神」

私は神が存在することを知っている。それは疑いようのない事実だ。しかし、神を見たことはないし、神の実在を体験したこともない。神には形もなく、声もなく、住む場所もない。時間という次元に置かれているこの世に神を見出すことは、ない。

にもかかわらず、神は存在する。およそ何かが存在すると言うとき、それは、〈ある経験によって感じ得る事実〉になったということだ。神の存在を私たちは感じ得ない。だから神は、普通の意味では存在しない。物質的な意味の存在しか考えられなければ『神は存在しない』と言ったほうがいい。しかし、〝存在〟という語をもっと広く考えれば、「神が存在する」という言い方は、大きな意味を持ってくる。

神とは何か――その問いに私は答えない。神の定義などあり得ないからだ。『神とは何々である』と言った瞬間、そこに定義されるものは「神」ではなく、〝偶像〟に過ぎなくなる。実際、神はあらゆる概念を超える。

自分自身の奥底にある力、自分を生かす本源を『神』と呼ぶ人がある。しかし私が把(とら)える神はそんなものではない。あるいは全世界を見渡しながら、『この全てを含み、かつ、その全てを動かす力、それが神だ』と叫ぶ者がいるかもしれない。が、私にとってはそれも神ではない。

昔の人々は、多くの神々を信じていた。しかし現代人は、その神々が存在しないことを理解した結果、無神論者になった。それはある意味で〝望ましい傾向〟なのではないか。現代人は自分に〝無神論〟を強いながら、実際には、神に関する認識を深め、純化しているに過ぎないのだ、と私は思う。幼稚な神のイメージを拒否することは、むしろ健全である。

繰り返すが、私は人間であるから、神を見ることはできない。それは、神が隠れているからではなく、私の――人間の――視力が及ばないからである。人間の立場からは、神はいつまでも〝未知なるもの〟であり続けるだろう。しかし、神は、キリストを通してご自分を示された。キリストの姿を心に留め、描き出し、対話しながら彼に付き従うことによって、私は神の姿を把え得る。

キリストのみが神を表わしている。キリストは〈神の顕(あら)われ〉それ自体である。私の把え得る限りでは、キリストは神の存在、神の姿、神の本質を知らせ尽くした。前述したように、神は〝物〟ではなく「者」である。〝概念〟ではなく「相手」である。神は私自身の行く手に立ち、ご自分の許(もと)に招待してくださるのだ。私は、この身近に実在する方に語りかけることができる。だから私は神に向かって、「あなた」と言う。

「我」と「汝」

価値観の基礎は「ペルソナの交わり」

人類の終局目的は「愛に結ばれたヒポスタシス（別語＝ペルソナ）の交わり」である。終局目的はあらゆる価値観の基礎だから、当面の問題は「ヒポスタシス」にある。ヒポスタシスという語を邦訳すれば『人格』というほどの意味であるが、ここでの用法としてはより厳密に「人格の元」を示す、と解したほうがよい。帰納法を使って、そこに至る一つの道を歩んでみよう。

自分自身の「ヒポスタシス」を示すよう求められるとき、人々の心中にはいくつかの設問が浮かぶ。すなわち――

・なぜ、私は私であるか
・私は、他人と異なった唯一の〝私〟であるか
・それを『個性』と呼ぶなら、個性の根拠は何であるか――

この設問はきわめて重大である。と言っても、第一の問いへの答えは簡単だ。〝私〟を成すものは物質的な条件である。ただ、生物学上の人間であるだけなら、それは〝共通の人間性〟に過ぎない。私が「私という人間」であることは、生まれた場所と時期、教育、生活環境などの結果である。物質的な特徴に加え、成育歴や個別・具体の過去がなければ人間は皆同じであって、個

性をもたない。単なる人間性はまったく等質の白紙であるが、各々(おのおの)の条件が「個性」を書き留めるのである。

あるいは、「人間は本来、パチンコの玉のようにまったく同質のものだが、地上に撒き散らすと、各々の玉は個別のサビや衝撃によって異なった形になる」と言ってもいい。この見方はプラトン的である。その見方に従えば人間性とは〝型〟であり、プラトンの言うイデアとなる。しかしそうであれば、肉体から離れた人間は共通の型に戻り、もはや個性を持たないことになる。

だからその見方に反駁し「復活」を信じる者は、神に直接に創造された霊魂があると断言し、ここに一種の「神学」が確立する。けれども「霊魂」の実態をこの段階で規定することは難しいし、〝霊魂と私との関係〟となると、なおさら曖昧である。

一方、〈〝私〟を「私」たらしめる要素は環境だけである〉とする説にも、にわかには従いかねる。むしろ環境によって〝私〟が具現されるのではあるまいか。その具体的な表現を「人格」と言うが、人格の裏には、なにがしかの〝我(われ)〟がある。

そこで、もう一つの考え方が出てくる。現代の哲学者たちはその〝我〟を追求して、〈「我」＝「汝」〉へと導く『等式』を説いている。その考え方によれば、「我」は物質のように単独に存在するものではなく、「汝」との繋がりによってのみ生まれる。その〈「汝」と繋がる「我」〉を「ヒポスタシス（ペルソナ）」と名付けたい――

ところで「我」を生かす「汝」とは誰のことなのか。隣人も、恋人も、「私」を全面的に生かすにはもの足りない。そこで、「汝」とは全人類ではないか、と多くの哲学者は考えている。すなわち「全人類は、互いに結び合うヒポスタシスの共同体である」と看做す説の誕生である。

この見方はそれなりに興味深いものだが、十分とは思えない。しかしここではその検討を割愛し、神学の結論を引き出そう。「我」を活かす「汝」は神であって、私の中で〝我〟を成すものは「神の呼び掛けの対象」である。なぜ私は私であるか。神がこの私を召しているからだ。神に呼ばれることそれ自体が、私の存在理由であり、〝我〟を「我」ならしめている。こうして等式「我＝神へ」は成り立つ。だからこそ、私はヒポスタシスなのだ、と胸を張って宣言しよう。

真生——我が生き甲斐は汝

貧弱な〝パラダイス〟

前章で、「あなたの生き甲斐は、『或る者』にある」と、私は書いた。その「或る者」とはキリストである。人生を深く考えれば考えるほど、人間の生き甲斐は〝物を所有すること〟などではなく、人格と人格との結びつきによってのみ生じるものであることが、明らかになる。人は理想とする状態を望んで、健康・財産・権力などを欲しがるのだが、それだけをもとに想像する〝パラダイス〟とは、なんと貧弱なものか。タカの知れた玩具でしかない。

人間の心を充(み)たすものは、人間である。私自身を活かすものは、私の個性を知り、認め、受け入れてくれる特定の「あなた」でなければならない。言い換えれば、「我」の生き甲斐は「汝」なのだ。そして、その「汝」を突き詰めれば、キリストである。

ところが、２０００年前には弟子や聴衆と談笑していたキリストも、今は目に見えない存在である。そこである人はこう言うかもしれない、「今、生きているキリスト？　それは一部の人間が勝手に造り出した〝理想の人間像〟に過ぎない。『愛』は立派な教えだが、〈『愛そのもの』が人格として実在する〉というのは世迷い事だろう。歴史上に現われたキリストも立派な模範と言えようが、『今なお実在している』というのは比喩的な表現で、〝我が心のうちに生きている〟という程度の意味なのだ」と。

イエス・キリストは、真の人間として生まれた。赤ん坊のイエス、少年のイエス……　そして33年後には疲れを覚え、苦しみを受け、死骸となったイエス・キリストが確かにいた、神話の中の人物ではなく歴史上の人物として。現代人が祝うクリスマスは、歴史の中のイエスの位置づけを表わしている。

キリストの存在は、夢物語ではない。既に記したように、世界史におけるキリストとその教えを宣べ伝えるキリスト教の存在はだれも否定できない。そして、歴史的現象としてのキリスト教の核心は、「キリスト自身の実在」である。目に見える教会を通して捉えられるキリストの姿、聖書から浮かび上がるキリストの姿は、実在する同一人物――イエス・キリスト自身――なのである。

キリストの実在を否定するなら、歴史をも現実をも無視することになる。クリスマスを祝うのは、２０００年前に生まれたイエスが、現代人の心の裡に置かれているキリストと同じイエス・キリストであることを認めることだ。十字架につけられて「わたしは渇く」と言ったキリスト、国家という国家の盛衰に翻弄されながらもそれを乗り切ってきた教会の頭たるキリスト、殉教をも辞さぬ無数の弟子に囲まれたキリスト、我が心に語り、我に生きる道を教えるキリストは我が主、すなわち「汝」なのである。

第2節

「イエスの時代」とその歴史背景

福音書が証すキリストのことばと行動

――キリストの言動は史実である

ベストセラー――現代人が感じるキリストの魅力

夥しい数の読者は何を求めているのか

聖書は〝永久のベストセラー〟と言われている。実際はどうだろうか。この問題を証明するのはかなり困難だが、とりあえず調べた結果をごらんに入れよう――

全世界で年に３５００万部の聖書が捌かれているそうである。膨大な量ではあるが、これでもなお控え目の数かもしれない。また、年間を通じて改訳される回数も聖書が首位で、１９６１年は２４６回（前年は２５８回）の改訳をみた。ちなみに、同年のレーニンの著作の改訳は１８５回である。

ここで、日本の事情を考えてみよう。まず、単独出版される聖書の一部分（例えば一福音書）は数えないことにする。次に、捌かれる聖書の中心は『新約聖書』だが、数量を検討するにあたっては『新約聖書』と『旧約聖書』および『旧約・新約合併版聖書』の三者を収めた聖書の数を、聖書購読者数と看做すことにする。

聖書協会訳の聖書の売れ行きは毎年堅調だがそれ以外の訳もある。例えばカトリック教会の訳や、岩波文庫の『福音書』がある。前者は年間６０００部くらいしか売れないし、後者は比較的新しい刊行である。以上を勘案すると日本では年に40～50万部を捌いていることになる。

一般に、書籍は1万部を越えると〝ベストセラー〟と言われる。戦後の目立ったベストセラーは、『性生活の知恵』（50万部突破）、『頭の良くなる本』（１００万部）など。これをみると、聖書を凌ぐ売れ行きの本が毎年現われているようだが、長年にわたってコンスタントに年間40万部を捌く本は聖書以外になさそうである。

では、一時ベストセラーと騒がれるものより、長い年月の間、常によく読まれているロングセラーものと比べてみようか。例えば『ジャン・クリストフ』はその一つと言ってよい。出版元の調査によると、これも年間の販売部数は10万の域を出ない。毎年、40～50万の人が聖書を買うというのが、いかに抜きん出た数字であるかが察しられる。

買っているのは、キリスト教徒だけではなさそうである。信者の増加数は、多く見積もっても年平均4万人に達しない。すなわち、聖書の新規購読者のうち信者は10分の1に過ぎないのである。しかも邦訳は、文体が特に優れた文学というわけではないし、特に面白く読み易いというわけでもない。

では、実績に現われる夥しい数の読者は、いったい何を求めているのだろうか。キリスト自身の魅力に惹かれているのだ、と言えば過言であろうか？

キリストは比喩の巧みな詩人だった

何をどう比喩で語ったか

イエスは論理で説得することを避け、もっぱら比喩で語っている。表現したい内容をイエスがどのように譬(たと)えて言っているか、いくつかの例を示してみよう。

不可能なこと――「ラクダが針の穴を通る」「白髪を黒くする」「茨の蔓(つる)が、ぶどうを実らせる」

謙虚な態度――「師の履物(はきもの)のひもを解く」「自分の目から丸太を取り除く」

成長への確信――「どんな種よりも小さいからし種が、鳥が巣を作るほどの大きな木に育つ」

教えの説得力――「わずかのパン種が粉全体を膨らませる」

教えの価値――「埋もれている宝を直ちに掘り出しなさい」「探し求めていた本物の真珠を見つけたときは、すぐ買いなさい」

新しい思想――「新しいぶどう酒は新しい革袋に入れなさい」

匿名(とくめい)の寄付――「右の手のすることを左の手に知らせないようにしなさい」

自然の美しさ――「空の鳥をよく見なさい。野の百合をごらんなさい」「砂漠で見る風にそよぐ葦」

復讐の禁止――「だれかが、あなたの右の頬を打つなら、左の頬をも向けなさい」

気まぐれ――「広場で、時には陽気な旋律を、時には葬送行進曲を笛で吹いて遊ぶ子供たち」

隠せない事実――「死体のあるところに、はげ鷹が必ず集まる」
未来の予測――「夕焼けだから、あすは晴れだ。朝焼けで雲が低いから、今日は嵐だ」
万全の準備――「ランプのための油の壷を忘れないようにしなさい」「剣のない者は服を売ってそれを買いなさい」
誤った教育――「盲人の道案内をする盲人」
初志貫徹――「ものに手をかけてから後ろをふり返ってはいけない」
並べてみれば一目瞭然、イエスは優れた詩人である。

「誇張」が聴く者の胸を打つ

右のように、イエスはしばしば比喩をもって語った。その比喩の中には、読み手の私たちが『ぎこちない』という印象を受けるものが少なくない。つい、直したくなる。

例えば「あなたたちはブヨ1匹さえも漉して除くが、ラクダを飲み込んでいる」という句では、「『ラクダ』の代わりに『ミミズ』としたほうがよいだろう」と思いたくなる。また、「友人の目にはおが屑でも、自分の目には丸太である」という比喩があるが、「丸太」のように大げさな物でなく「薪」で十分ではないか。さらに、譬え話の一つに「1万タラントの借金」が出てくる。それは現代の貨幣価値に換算すれば600億円に相当する金額だ。あまりにも高すぎる。また、「蒔かれた種が百倍の実を結ぶ」とは言い過ぎではないか――

イエスが誇張を意識していることは否定できない。しかし、彼は耽美主義的な文学者ではない。比喩を使うのはその教えを分かりやすくするためであり、強調するためである。

比喩の誇張は、イエスの極端な要求と合致する。例えばペテロは「自分に対して罪を犯した者を7回までは赦すつもりだ」と言う。それはすばらしい寛大さだ。しかしイエスは「7の70倍まで赦しなさい」と言うのである。

「自分の持ち物を一切捨てないならば、あなたがたのだれ一人としてわたしの弟子ではありえない」「宴会を催すときは友人、兄弟、近所の金持ちを呼ぶよりも、貧しい人、体の不自由な人、目の見えない人を招きなさい」「もし右の目があなたをつまずかせるなら、刳り出して、捨ててしまいなさい」「わたしよりも父や母を愛する者はわたしにふさわしくない」など、イエスの比喩は直截に私たちの胸を打つ。

概念のキリスト・隠喩のキリスト

隠喩を跳躍板として

「キリストが生きている」と信じるのはキリスト教の基礎である。そして、生きているキリストは2000年前に十字架上で死んだイエスに他ならない。だからキリストの復活が信仰の核心になる。その復活したキリストを信者は信じ、愛する。パウロの言うとおり「キリストが復活しなかったなら、私たちの宣教はナンセンス」である。

ところで、生きているキリストは私たちの目には見えない。この事実を信仰の上でどう表現すべきかという問題が出てくる。キリストを愛する信者がキリストを語ろうとするとき、地上のイエスの姿と同時に復活後のキリストを描きたいと当然に思う。ところが、私たちは誰も復活したキリストを体験したことがない。

そこで、一つの考え方が生まれる。福音書の描き出すイエスを常に「神の子」と看做（みな）すことである。ある角度から見ればそれは正しい。しかし現実には、「神の子は湖畔を歩いていた」とは言わず「イエスは湖畔を歩いていた」と言う。また「イエスは神の子、だから将来を全て見通していた」と言うことは許されない。将来を知る者はもはや人間ではないからである。

イエス・キリストは、神の子であると同時に真の人間である。換言すればキリストは神性も人性も備えている。が、この両者は混合されない。福音書のイエスをただちに神の子と見るのは誤解を招くもとになる。キリストが十字架上で死んだこと、3日目に復活したことを、ひとまず宣言することはできる。それに誤りはないが「何かをしたこと」を述べるのは、信仰の核心を逸（そ）れることになる。私たちが信じ、愛する対象は〝キリストがしたこと〟ではなく、キリスト自身なのだから。

したがって、キリストを語るためには概念やカテゴリーを捨て、比喩や隠喩（いんゆ）による方法が多く採られる。「神の子」という表現も隠喩である。これは人間の世界における父と子の関係そのままではない。隠喩はあくまでも隠喩である。抽象的な概念としては「キリストは神性に与る」と言える。しかし、それはいかにも空疎な表現である。ヨハネの強調する「父は子を愛し、子は父を愛する」という父子の絆を表現することはできない。キリストを語ろうと思うなら隠喩を使い、それを跳躍板として利用し、超越的なリアリティーの世界に飛び出さなければならない。

新約聖書は旧約のカテゴリーを用いる。たとえば、イエスはメシアである（もっともメシアのギリシア語は「キリスト」であるが）。

しかし、イエスは当時の『メシア』のイメージに収まりきらない。メシアの死と復活は期待されていなかったのである。

同様に、イエスは「王」と呼ばれているが「私の国はこの世には属していない」と自ら訂正する。また「預言者」とも呼ばれているが、『預言者の中の預言者』である洗礼者ヨハネをはるかに超えている。これらのカテゴリーはイエスに当てはめると古い革袋のように破れてしまう。

神の子の栄光を強調するヨハネ福音書によれば、イエスは「私はぶどうの木、あなたがたはその枝である」と言った。これはまさに隠喩、しかも含蓄のある隠喩である。その深い味わいはキリスト論の常套の命題を凌駕している。

歴史を超えるキリストを、歴史家は理解できない。概念を弄ぶ神学者は、生きているキリストとの交わりに人々を誘い入れるまではいかない。しかし、詩情豊かな信者は、人をキリストの心に導くことができる。隠喩をもって愛を語るからである。

キリストとその時代

「死からの復活」は既に信じられていた

キリストの時代、既に、熱心なユダヤ人は人間が死んでから復活することを信じていた。新約聖書を読めばそれが分かる。しかしよく読むと、ファリサイ派の人は復活を信じていたが、サドカイ派の人はそれを信じていなかった。

パウロはその違いを利用したことがある。取り調べを受けたとき、彼は「わたしは復活を信じていることで、裁判にかけられている」と敢えて言った。裁判官の中には、ファリサイ派の人も、サドカイ派の人もいたので、さっそく互いに激しい論争が起こった。そうしてパウロ自身の取り調べは忘れ去られてしまった（使徒言行録23－8）。

またある日、復活を信じないサドカイ派の人がキリストに質問した。「一人の女性が次々に7人の夫に死なれて、次々に7人の男に嫁いだとする。復活の時、彼女はだれの妻になるのか」。イエスは「復活するときには、娶（めと）ることも嫁ぐこともない」と答えた。

他方、福音書に出てくるラザロの妹マルタは、既に指摘したとおり「終わりの日――復活の日――に復活することを、私は存じております」とはっきり言う。このようにキリストの時代、復活は一般的に信じられていた。

「復活否定」と「不滅願望」の狭間で

ところで、それより古い時代のユダヤ人は復活を信じていなかった。その一方で、『優れた人物は不滅であってほしい』との願望を持っていた。そのためユダヤの物語の中には、〝非常に長く生きた偉人〟の譚（はなし）がよく出てくる。つまり、ユダヤ世界の偉人たちは〝何百年も生きる喜びを味わった〟わけである。例えば、ぶどう酒を初めて造ったノアは950歳で死んだそうだ。記録保持者はメトシュラである。969歳。

こうした〝不滅願望〟の延長上で、ユダヤ人の心境の中に「復活への希望」が生まれた。その母体は神への信頼である。人間を愛する神は、その人間を死から必ず解放してくれる――その希望は詩編の中に表われている。

例えば103篇では、「主は憐れみ深く、恵みに富み、慈しみは大きい……主の慈しみは世々とこしえに」という賛美の言葉の間に、「主は生命（いのち）を墓から贖（あがな）い出してくださる」という希望の言葉が出ている。また、16篇には、「主に申します、『あなたはわたしの主。あなたのほかにわたしの幸いはありません』。わたしは主を讃（いつく）えます」という信仰宣言の後に、「あなたはわたしの魂を陰府（よみ）に渡すことなく、あなたの慈しみに生きる者に墓穴を見させず、生命の道を教えてくださいます」という「信仰の告白」が出てくる。

紀元前2世紀の半ば頃に殉教したある若者は、息を引き取る間際に「世界の王は、律法のために死ぬ我々を、永遠の新しい生命へと蘇（よみがえ）らせてくださる」と叫んだ。

根拠は「神への信頼」

ともあれ、その時代からこのかた、ユダヤ人は人間の復活を信じてきた。その根拠になるものは哲学的な理論ではまったくない。神への信頼があったのみである。神は愛であると体得した人々は、人間の復活という希望を抱いた。すばらしい人生観の誕生ではないか。

キリストの時代にも少数ながら、復活を信じないユダヤ人がいることはいた。彼らは神の愛を十分には受容していなかったから復活を信じられなかったのだろうか。それとも、何かの証拠が必要だと思っていたからか。

キリストを信じる人は人間の復活をも信じている。その根拠はキリスト自身の復活である。〈キリストが復活したから、キリストに属する人も復活する〉のだ。

キリストを信じるというのは、〈死を乗り超えた、また私たちに死を乗り超えさせる神の子〉を、全面的に信用することである。

新約聖書が証す「信仰の表現」

実際、「キリストが復活した」という信仰の証言は、新約聖書の至る所に出てくると言ってよく、直截的な記述だけでも80箇所に及ぶ。これは、間接に提示される箇所を除いた数字だ。だからいちいち指し示す必要はないかもしれないが、サンプルとして、『ローマ書』の中から該当箇所を抜き出してみよう。

○御子は死者の中からの復活によって、力ある神の子と定められた。（1－4）
○わたしたちの主イエスを死者の中から復活させた方（神）を信じれば……（4－24）
○イエスはわたしたちの罪のために死に渡され、わたしたちが義とされるために復活させられた。（4－25）
○キリストは御父の栄光によって、死者の中から復活させられた。（6－4）
○死者の中から復活されたキリスト……（6－9）
○死者の中から復活させられた方（キリスト）。（7－4）
○キリストを死者の中から復活させた方（神）。（8－11）
○死んだ方、否、むしろ復活させられた方であるキリスト。（8－34）
○神がイエスを死者の中から復活させられた。（10－9）

「イエスの復活」は神の行為

これらの箇所を読むと、一つのことに気がつく。パウロは「イエスが復活した」とは書かずに「神がイエスを復活させた」と書いている。新約聖書には「イエスが復活した」という記述（たとえばマルコ16－6、ルカ24－34、マタイ28－7など）もないではないが、「神がイエスを復活させた」「イエスは復活させられた」という〝受動形〟の記述（たとえば使徒2－32、同3－15など）の方がはるかに多い。時系列で言えば「神がイエスを復活させた」という表現が一番古く、その後、それと入れ替わって「イエスが復活した」となったと考えることができる。他方、この二つの表現は初めから（つまり同時期に）使われていたとも考えられる。どちらの考え方が正しいかを決めるのは現代の聖書学者にとっても至難の業だ。

いずれにせよ、「神がイエスを復活させた」の方が多いことは確かである。そしてそのことは、キリストの復活が神の行為であることを示している。

次に、「死者の中から」という言葉がよく使われている点にも注目したい。この言葉が選ばれたのには理由がある。当時のユダヤ人は、人が死んだら〝シェオール（陰府）〟へ行くと信じていた。「死者の中から」は、「陰府から」を意味する。

「死者の中から」という言葉がよく使われている理由はもう一つある。日本語で『復活』という語を使うとき、それが「死者の中から（の復活）」を意味することは分かりきっているから、それをわざわざ言う必要はないように思える。けれども、「復活する」と邦訳される言葉に、原文では2つの別の動詞egeiroとahistemiが充てられており、どちらの動詞も本来「立ち上がる」の意味を持っている（マルコ16－6、マタイ28－6でその意味を味わえる）。したがって「復活」の語義をはっきりさせるために、「死者の中から」を付け加える必要があったのである。

ところで、キリストの復活を表現するのに『復活』以外の言葉も使われている。まずフィリピ書の数行にわたる「讃歌」部分を引用してみよう。

――キリストは、神の身分でありながら、神と等しい者であることに固執しようとは思わず、むしろ自分を無にして、僕（しもべ）の身分となり、人間と同じ者になられました。人間の姿で現われ、へりくだって、死に至るまで、それも十字架の死に至るまで、従順でした。このため、神はキリストを高く挙げ、あらゆる名にまさる名をお与えになりました。こうして、天上のもの、地上のもの、地下のものが全て、イエスの御名にひざまずき、全ての舌が「イエス・キリストは主である」と公に宣べて、父である神をたたえるのです。――（フィリピ2－6～11）

この箇所はパウロが自分で創作したのではなく、初代教会が使っていた讃歌を引用したものだと主張する学者もいるし、他の学者はパウロ自身の筆によるものだ、として譲らない。どちらが正しいにせよ、この讃歌について今ここで詳しく検討するつもりはない。

ただ、この中にキリストの業（わざ）が述べられているのは明らかで、讃歌は「キリストの死」をはっきり伝えた後、「キリストは『高く挙げられた』」と謳（うた）い上げている。

この一節から前述の「高挙」という専門語が造られた。ちなみに、「あらゆる名にまさる名」とは〈神の名〉を指す。

ユダヤ人にとって、「名」はその人の本質に等しいものであって、「キリストがあらゆる名にまさる名を受けた」という表現は、キリストの神性を表明しようとしたものである。つまりこの讃歌は、キリストの人性――「人間と同じ者になられた…元に至るまで」――をも、神性――「あらゆる名にまさる名を受けられた。……主である」――をも強調している。しかも、それは時間の流れに沿って「地上のイエス」と「天上のイエス」を描き出す。

しかしながら、そこに『復活』という語は出てこない。その代わりに『高挙』という語が使われている。

この二語に意味の違いはなく、『復活』のほかに異なった表現が使われていることの例証となっている。

もう一つ、ルカの書き方を見よう。ルカは『復活』の語を、以下のようによく用いる。

○egeiroを使う箇所＝ルカ24－6、24－34、使徒3－15、同4－6、同5－30、同10－40。

○ahistemiを使う箇所＝ルカ24－7、24－46、使徒2－24、同2－32、同3－26、同13－33、同17－3、同17－31。

右に上げた表現については注意すべき点がある。ルカ24章の4箇所では、「イエスが復活した」とさりげなく訳されているが、使徒言行録の箇所では、「神がイエスを復活させた」とルカははっきり書いている。

また、ルカはもう一つ別の表現を使う。「イエスが生きている」という言い方だ。その箇所はルカ24－5、同24－23、使徒1－3、同3－15、同25－19である。この「イエスが生きている」という簡単な一節にも価値がある。

新約聖書にはさらに、「キリストが神の右に座っている」という表現も何度か出てくる。（ローマ8－34、エフェソ1－20、コロサイ3－1、使徒7－57、ヘブライ1－3、同1－13など）。それは、詩篇10－1を〈復活したキリスト〉に当て嵌(は)めることに他ならない。

多彩な表現法が、豊かな信仰宣言を生む

さて、以上の表現にはそれぞれ、プラスとマイナスがあることも付記しておこう。「イエスが復活した」は現在最も一般的に使われている一節だが、説明がなければ〝イエスが地上の生活に戻った〟という誤った解釈に陥りかねない。「キリストが生きておられる」という表現は現代人にとって一番適切な言い回しだと思われるけれども、「キリストは地上のイエスである」と述べているのではない、と受け取られかねない欠点がある。

その点、「高挙」という語は「この世から父のもとへ移る」（ヨハネ13－1）というヨハネの表現を思い出させる。そしてヨハネの言葉自体、キリストの死と復活を示している。したがって「高挙」は最も適切な表現と言える。ただしその語自体、あまりにも専門的である。「神の右に座す」とすれば、旧約の隠喩を活かすことにもなるが、その隠喩の意味は幾分漠然としたものに留まる。

このように考えると、それぞれの表現は決して異なっていたり矛盾していたりするわけではなく、むしろ互いに補い合っていることが分かる。どうしてもその中の一つの語で表わさなければならないということでなく、「キリストの復活」という信仰の核心を宣言するために、私たちがいくつかの表現を使うことができるのは、それだけ信仰を充実させるための機会が保証されることなのだ、と受け止めたい。

みことば――ヨハネ〜トマスの信仰宣言

福音記者・ヨハネが伝えたかったこと

ヨハネ福音史家は〈『キリストが神の御子である』という表現〉に含まれる深い意味を伝えようとした。

すなわち、〈神の子とは、一人の人間が神と密接な関係をもってきたということでなく、キリストが父なる神の御子であることを意味する〉ということを。

それを伝えようとするヨハネは〝みことば〟という語を用いて「イエス・キリストは受肉したみことばである」と書いた。またその福音の冒頭に「みことばがあった」と書いて、御子が永遠に存在することを示した。

その部分にある「みことばは神と共にあった。みことばは神であった」という文章は、少々矛盾するよう聞こえるが、「みことば（御子）は父なる神と共にあった。みことばは神性を持つ」と解すれば、矛盾はなくなる。

ヨハネは、キリストの誕生を指して「みことばは肉体となった」と書いた。かくてヨハネによる福音の終わりには、全てを収斂したみごとな結論として、トマスがキリストに向かって発した信仰告白、「わが主よ、わが主よ」（20－28）が出てくる。

歴史の始点に起きた「神性」と「人性」の接遇

世界史の〝基点〟となる紀元０年に「神性と人性との接点」が顕われた――　それはキリスト教の基礎である。

しかし信者でない人にとってはまったく信じられないことに違いない。『紀元０年の出来事など歴史家に任せておけ』と思う人も多そうだ。

だが、そんな〝知らんぷり〟でキリスト教を簡単に片づけようと思っても、そうはいかない。法学を勉強しようとすればイヤでも「人権」を取り扱わねばならないが、人権の背後にはキリスト教がある。自然科学に没頭すると「進化」または「進歩」という事実に出会い、進歩には目標があることを知る。

人類の目標を考えるとき、「それはキリスト教の言う神の示すところであるか」という問題が必ず出る。平和を打ち建てようとする人は「博愛」を考えなければならないが、その博愛の裏には必ずキリストの光が射している。どんな「哲学」を学んでも常に、キリスト教の生んだ思想に出会うし、「良心」の命令を考えるときも、神が存在するかどうかの問題が生じる。

このように、現代人が孤独から活路を見出そうとするなら、キリスト教の答えを無視するわけにはいかない。男女間の愛もまた、多少ともキリスト教の見方に依っているのではないか。キリスト教を無視するならば、教養も学問も成りたたないのだ。人格者になりたいならば、キリスト教とぶつからなければならない。あなた自身は、キリストをどう見ておられるだろうか。

答えなさい

「なぜ人間を尊重しなければならないのか」――よく耳にする問いである。それに対する答えとして多いのは、「自分が尊重されるためには他人を尊重しなければならない」という返答だ。換言すれば〈自分の行動の自由を守ってもらいたいし、生きる権利を認めてもらいたいので、他人の自由を守り、その生存権を認める〉のである。

しかしこういう答えは詭弁（きべん）に過ぎない。検討してみよう。私は相手を尊重する。そうすれば相手は尊重される。一方そのときは、相手もまた私を尊重する。それは、相手が一種の平等を認めるからだ。つまり、相手も私同様に〝尊重には尊重を〟と考えている。その〈尊重には尊重をもって遇する〉という考え方自体、「人間尊重」である。だから、右の説明は〝人間尊重の土台は人間尊重だ〟という詭弁――というわけである。

「人間尊重」は自明の真理ではない。歴史を見れば、そのような人生観は近代になってから現われたことが分かる。奴隷制度が罷（まか）り通っていた時代の欧米ではもちろんのこと、日本の江戸期を見渡しても、〝切り捨て御免〟の社会制度の下で人間尊重は考えられもしなかった。

けれども今日、「人間尊重」とか「人権」とかは、私たちの信念である。確信と言ってもいい。〈人間一人ひとりにとってまたとない価値なのだ〉ということを、私たちは直感的に知っている。その確かな信念は、歴史の流れの中でいつの間にか生まれ、共通の認識となっていたのである。

それでは、今や人類共通のものとなったこの信念は、どこから生まれたのだろうか。また、どういう基礎の上に立脚しているのか――　そんな問い（二つの質問が同じことを問うているかどうかは別にして）が投げかけられのは当然だろう。いったい歴史上のどういう出来事が「人間尊重」を生み育てたのか。いま一度、答えてみてはどうだろうか、今度は詭弁を弄さずに……。

生き甲斐を見出して、心の平安を得よ

キリストは人間に生き甲斐を与える

クリスマスの時期のミサでは、ヨハネ福音書のプロローグが読み上げられる。そしてこのプロローグは、キリスト教の要約でもある。「御言葉は人となった」（1－14）という句はキリストの誕生を示すが、最初に出る「御言葉は神であった」（1－1）という句が、〈キリストは神の「神性」に与る者だ〉という真実を表わす。

今日、私たちは人間であるイエス・キリストの誕生を祝っているが、人間であるこのイエス・キリストが同時に神の子であることをヨハネは宣言する。これがキリスト教の核心だ。それはキリスト教信者にとっては当然の真理だが、キリストを信じない人の中には『そんなことが自分と何の関係があるのか』と考える人も少なくない。

そこで〈本書中で何度も繰り返していることだが〉、私はあえてそういう見方に答えておきたい。答えから先に言えば、「キリストは人間に生き甲斐を与える」「したがってキリストを信じる人は生き甲斐を感じている」ということに尽きる。

生き甲斐を持っているのか、いないのか――そう問われるとしたら、どんな人生観の持ち主でも『自分には関係ない』とは言っていられないだろう。『いったい自分は何のために生きているのか』と一度も考えなかった人などいないと思われる。何のために生まれたのか、何のために学校で学んだのか、何のために働いているのか――そういった問いが私たちに繰り返し迫ってくる。それにどう答えたらいいだろうか。

例えば、生きる目的はお金を儲けるため？　それは真の生き甲斐になるだろうか。金がどれほど必要であるにしても、どれほど力を与えてくれるにしても、金のために生きるだけではどう見ても「人間らしい生き方」とは言えないだろう。

それでは、愉しみを得るために生きる？　人間が本能的に自分の愉しみを追求しているのは事実だ。しかし、自分の愉しみを目的にしていた人が、あっという間に苦しみの淵に転げ落ちる例を、私たちはイヤというほど見聞きしている。それならまだ夫のため、妻のため、子どものため、他人のために生きたほうが生き甲斐を感じられるだろう。

そう、人間に生きる目的を与えるのは物質的なものではなく、「人間としての相手」でなければならないのである。だからこそ、夫とか妻とか子どもとかが生きる目的となる。だが、そういった相手に尽くすことによって、果たして人間の心が満たされるだろうか。人間を相手にしている限り、その疑問は常に付きまとう。

とすれば、私に生き甲斐を与えてくれる相手は〈人間でありながら人間のレベルを超える相手〉でなければならない。そしてその条件を満たす存在は、キリスト自身だけである。

キリストを知り、キリストを信じるために、自分の政治信条や経済思想を捨てなければならないという条件などは一切ない。キリストを信じるために、自分の仕事や趣味を犠牲にする必要もない。また、キリストを信じるからといって自分の家庭が壊れるというわけでもない。キリストを信じるから、キリストのために日々を生きることによって、生きる喜びを満喫することができるのである。

「洗礼」――イエスの招待に応じる決意表明

イエスに倣う「信仰宣言」の要

キリスト自身を知り「信じる」と宣言するまで

キリスト教とは「イエス・キリストに従うこと」そのものである。イエス自身がすばらしい方、魅力あふれる方、とことん信用できる方でなければ、キリスト教は無意味な教えと化す。そこでイエス・キリストの人柄と行動を知るために、イエスの姿を描き出す福音書を開いてみよう。

――ある日、イエスは徴税所に座っていたレビという人を見かけた。イエスは彼に「わたしに随いて来なさい」と言った。レビは立ち上がってイエスに随いて行った。またある日イエスはガリラヤ湖のほとりで、漁師であったペテロとアンドレを見かけた。イエスは「わたしに随いて来なさい」と言った。二人は網を捨ててイエスに従った。また同じく漁師であったヤコブとヨハネにイエスは「わたしに随いて来なさい」と言った。そしてこの二人はイエスに従った。――

「このようにして最初の弟子たちはイエスの呼びかけに応じた」と福音書は伝えている。しかしイエスは最初の弟子たちに限って「随いて来なさい」と呼び掛けたわけではない。2000年前から現在に至るまで、教会の声を通して、「わたしに随いて来なさい」とイエスは繰り返して呼びかけている。そして夥(おびただ)しい数の人間がイエスの声を聴き、イエスに従ってきている。イエスの姿を追う数え切れない群衆のうち何千、何万という人々は、徹底的にイエスに従ったことにより、殉教をなし遂げた。殉教者の中に日本人もかなりの数いることは歴史の示すとおりだが、ともかくキリストを信じる人は、それによって心の平安と生き甲斐を見出している。そしてイエスは今もなお「わたしについて来なさい」と呼び掛け続けている。本書を手にしておられるあなたは、どう対応されるだろうか。ぜひ、私に聞かせていただきたい。

「洗礼」は「キリストを信じる」と公表する機会

「キリストを信じる」ことを宣言するために、人は洗礼を受ける。初代教会の時代から続く慣わしだ。キリスト自身、自分をこの世に派遣された「父なる神」を信じることを表明するため、ヨルダン川のほとりで授洗者ヨハネから洗礼を受けた。その「信仰表明」の仕方は２０００年後の現代に続いている。

洗礼式に臨んで洗礼盤の前に立つ信者は、司式者の問いに答え、はっきり「信じます」と宣言する。受洗者の中に、親や代父母に抱かれた幼児や赤ん坊の姿を見ることもある。生きるため、親に全面的に寄り掛かっている子ども。親は日頃、その子に食べ物や着物を与え、言葉を教え、子どものためによいと思われるものの全てを与えている。したがって、「キリストへの信仰」というすばらしい贈り物をその子にいち早く与えるのは、当然の「愛ある行為」と言える。ただし、赤ん坊はまだ自分で「信じます」と言うことはできないので、その代わりに親が「信じます」と宣言する。もちろん幼児洗礼を受けた子どもは、その成長期を通じて親や周囲に見守られながら、信仰心を育てていくことになる。

洗礼の本質は信仰宣言

神の存在は「真実」か〝妄想〟か

洗礼式でしばしば読み上げられる福音書の箇所がある。「種蒔く人の譬え話」だ。〈人が種を蒔いた後、自分で何も手入れをしなくとも、その土地は自然に実を結ばせる〉という内容である。言い換えれば、「種に宿っている生命は、人間の世話にならなくても、自ずから成長する」ということになる。この譬え話に隠れている意味を理解するためには、福音が元々示そうとしている〈真実〉を探り当てなければならない。

この話に登場する「種の生命」とは「神の力」を指す。譬え話の中に「神」という言葉は出てこないが、「実らせるのは神の力である」ことが前提となっている。また、種の裡に隠れている生命そのものは目に見えない。同様に、神も私たちの目には見えない。しかし、種に生命が確かに存在するように、神も確かに存在しているのである。

神は目に見えないが、存在する。目に見えないものが存在するなど、日頃「神」を考えたこともない人には信じがたいことだろう。『存在するものとは、目で見得るとか手で触れ得るなど、何らかの感覚器官で把握できるもののことだ』とごく自然に考えているからだ。しかし「神は時間・空間という次元にいないため、いわゆる〝場所〟を占めることがない。だから目に見えない。にもかかわらず、神は存在している」という見方を提示されるとき、〝五感主義者〟はそれ以上抗弁できず、「それは妄想だ」と捨て台詞(ぜりふ)を口にするしかない。

では、信仰心の有無を問わず、現代に生きる人々が一様に信頼している科学的論理――理性と言ってもいい――を使って考えてみよう。

自然現象を研究する専門家は（天文学者にせよ、物理学者にせよ、生物学者にせよ）、彼らが取り扱う自然現象の全てが合理的であり、理性に適(かな)う法則に従って起こるものであることを前提として考える。しかし、〈自然の中に合理性がある〉と認めるのは、「神が存在する」ことを認めることになる。なぜなら、学者たちの言う「合理性」は人間の作ったものではなく、神に由来する以外に発生と存在の根拠がないからだ。そういう意味で、科学者らはその論理に従う結果として、神の存在を認めていることになる。

また、自然科学の専門家でない人たちの中に、「宇宙万物の存在には意味がある」と考える人は多い。そしてその人たちの多くは「自分自身の存在にも意味がある」と信じている。その「意味」が何であるかというところまではよく分からないかもしれないが、ともかく『この世の存在や自分の存在はナンセンスだ』などとは決して思っていないはずだ。「『この世』の存在に意味があり、自分の存在にも意味がある」と思うのもまた、結局のところ「神の存在」を認めることになる。つまり、人は〝全てがナンセンスである〟か、それとも〈その全てを意味づけている存在（＝「神」）を認める〉か、そのどちらかを選ばなければならないのである。

右のように論理を進めれば、万物の存在理由として「神」を考えることができる。もっともこの結論は信仰に拠らず、理性のみによる論理が基になっている。それでも「神」がこの世に存在する理由にはなるわけだが、「神と人間との関係」を考えるためには、これだけで十分とは言えない。例えば〈そんな「神」に向かって祈ることにどのような意味があるのか〉はまったく分からないままだ。

譬え話「放蕩息子」の主役は父親だった

そこでキリスト教は、「神」の本性とそのすばらしさを教える。神は人間を愛しており、神はキリストにおいて人間の前に自分を現わした。神の啓示はイエス・キリスト自身であるから、キリストを見て私たちは神の愛を理解できる。キリストの生涯とその十字架が神の愛を物語っている。

福音書の中に「放蕩息子の譬え話」があることは、日本でもよく知られている。この譬え話の〝主役〟を息子の方だと思っている向きが多いようだが、主役は息子ではなく、実は父親なのだ。譬え話が深く示唆する〈かくも慈悲深い父〉は、神のイメージなのである。

私たちはキリストを通して、その「父なる神」の愛を知り、神に向かって「天におられる私たちの父よ」と祈る。キリストを通して、神から生き甲斐を、幸福を、賜物としていただいている。そして、キリストに向かい、こう宣言する、「私はあなたを信じ、神の存在を信じます。あなたは神の御子キリスト、私の親友です」。

この宣言が示すとおり、洗礼の本質は信仰告白である。そして、その宣言の機会は「洗礼式」と呼ばれる。

洗礼式に臨み、司式者は受洗者に向かって三つの質問をする。要約すれば「あなたは神を信じますか」「キリストを信じますか」「教会を信じますか」。受洗者はいずれの問いに対しても明確に「信じます」と答える。それは洗礼式という公の場で、立ち会う人々（中には信者ではない友人・知人も多い）の前に立つ受洗者が行う「信仰宣言」に他ならない。どうかその場を囲む人々は、その清々(すがすが)しく迷いのない宣言を、よく聴いてほしい。

受洗者へ、そして未洗者へ

親友を囲んで喜ぶ

クリスマスを祝うミサで読まれる福音の箇所はまた、「平和」と「喜び」の二つが基調となっているのが特徴(とくちょう)だ。もちろんどういう祝日にも「喜び」はあるわけだが、特にクリスマスが私たちに「この上ない喜び」をもたらすのは事実である。

クリスマスの喜びは、イエス・キリストの誕生を祝う気持ちから生まれる。それは、2000年前に起こった出来事を思い出すというよりも、その33年間の人生によって私たちを原罪から解放してくれたイエス・キリストのこの世における第一歩を祝うのが、「喜び」の直接的動機となる。つまり、クリスマスを迎える私たちは〝歴史家の目〟ではなく、頼りになる友を迎える気持ちを持って兄弟であるキリストを囲み、彼に親愛の情を示したいと願っている。

人間としてのイエス・神としてのキリスト

今日、私たちは静かな聖堂内に跪(ひざまず)いて十字架につけられたキリストを見上げたり、キリストが語った含蓄(がんちく)のある言葉を思い出してその声に耳を傾けたりする。さらに「復活したキリスト」や「奇蹟を行うキリスト」について思いを巡らせたりすることもある。それによって私たちは〈キリストの偉大さ〉を心に刻みながら、「死に打ち克(か)つキリストによるならば、できないことはない」というパウロの言葉を味わい、同感する。だが、キリストの偉大さを認め理解すればするほど、「偉大なキリスト」と〝取るに足りない私〟の間にある距離感が大きくなり、溝が深まっていくのを感じないではいられない。

私たちの胸の中で生きるキリストの姿はむしろ、「田舎の結婚式に列席するキリスト」「疲れて船底で寝ているキリスト」「御受難の前夜、恐怖に襲われるキリスト」といったものであり、そのほうが私たちに親近感を覚えさせる。つまるところ、「キリストの偉大さ」より「キリストの弱さ」のほうに私たちは魅力を覚え、感動するのである。

いま一度、キリストの誕生に想いを馳せる

キリストの誕生に現代人が心惹かれるわけもそこにある。キリストは、私たちと同じ人間の一人として生まれた。旅の空でマリアはその子を産んだのだった。貧しい家庭に子どもが1人生まれたということなど、衆目を引く出来事ではない。その子がキリストであることを誰も知らなかったし、実際のところその子を歓迎したのは2、3人の羊飼いだけだった。それらは、現代社会の庶民である私たちとキリストの共通性を表わす事実でもある。

だからと言うべきか、ルカはその福音書を書くとき、多少困ったようである。「キリストは神の子だ」と信じていたルカは『イエスの誕生を祝うため大勢の人々が押し掛けて来た』とか『神の子の誕生に伴って不思議な現象が起きた』と書きたかったのではないか。しかし実際には、そんなことは起こらなかった。キリストは普通の子どものように生まれた――というよりも、普通より貧しい環境の下で生を受けた。その赤ん坊に気を配ろうとした人は誰もいなかった。「人々の無関心を補うために、ルカはその福音書に『天使の声』と『賛美の歌』を入れたのだ」と言っても差し支えあるまい。現代に生きる私たちはむしろ、他の赤ん坊と異なるところのないこの赤ん坊を心の中に受け入れるとき、キリストが本当に私たちの兄弟であることを意識するのだ。

ちなみに、昔から「キリストの誕生」を描く絵画は無数にある。そのうちルネサンス期の画家

たちは好んで馬小屋を宮殿に見立て、マリアとヨセフにきらびやかな衣装を纏（まと）わせたが、それは現実に合わず、それらの絵画が信仰心をかきたてることにはならなかった。

人々の感動を誘ったのはむしろ、『単なる一人の母と生まれたばかりの子ども』を描いた作品だった。例えば、ラ・トゥールの絵画「御誕生」では、1本の蝋燭（ろうそく）の光が、寝ている赤ん坊と彼を囲む4、5人の田舎者の素朴な顔を照らしている。このラ・トゥールの作品こそ、信者の目には価値がある。

今日、私たちが祝う「神の子キリスト」とは、「神の現われである神の子」「全ての人に幸福を与える者」でありながら、その偉大なキリストが「私たち同様の質素極まる環境下に生まれ」「私たち同様、弱い赤ん坊として世に出た」というところに意味があるのだ。言うまでもなく、〈神の神性に与（あずか）る者が、愛らしい子どもであった〉という事実は、私たちにキリストを、より親しく感じさせるのである。

洗礼を受ける人に贈る言葉

ところでキリスト教会では、クリスマスは復活祭と並んで「洗礼」の多いシーズンである。さまざまな機会にキリストを紹介され、その生涯の詳細や教え、魅力などを知った人たちの中で、勉強を重ねて「キリストこそが真の生き甲斐の与え主である」と信じた人たちは教会や先輩信徒に勧められ、「キリストの誕生記念日」であるクリスマスや「キリストの神性を表わす復活の記念日」

に洗礼を受ける。

洗礼とは、キリストを信じる」と宣言する人が水と霊に浸されて信仰共同体の一員となる典礼儀式である。洗礼を受けた人（受洗者）はその瞬間からキリストの弟子となり、信者の兄弟となるわけだ。新しい信者は共同体の構成メンバーである先輩信者から祝福と歓迎の言葉を贈られる。ある洗礼式に臨んだとき、私は受洗者に次の言葉を贈った。

「古い信者である私たちは、心を込めて、新しい信者の皆さんとともに、キリストの友情と愛を分かち合うようにしようと思います。皆さんは教会の中でたとえ〝新参者〟と言われても、また洗礼を受けたばかりの〝新米信者〟と言われても、ご自分は今日から〈キリストとともに歩む一人前の信者である〉と自分自身に言い聞かせ、絶えずそのことを意識しながら、信者にも信者でない人にも〈キリストに生きる人〉と認めていただけるよう、信仰を実践していただきたいと思います」

受洗者と未洗者を結ぶもの

洗礼式には、信者でない人の参列も歓迎される。それは結婚式や葬儀など、私たちとキリストが濃密に交わる接点の一つだから、当然のことだ。そして結婚式や葬儀と同じように、洗礼式もまた「信仰宣言」の機会だから、そこに信者ではない人を招くことは、受洗者にとって〈宣教する最初の機会〉となる。

日本のように、全人口のうちにキリスト教信徒が1％にも満たない国では、信者の親友と言っても信者ではない人が大多数である。が、その親友たちは通常、受洗者の決断を喜んでくれる。その人たちに、洗礼を受けるため祭壇に向かって立つ人は背中で語りかける、「君も本当の生き方を探してほしい。生き甲斐であるキリストと一緒に歩もうよ。目を開けて、ここにいるキリストを眺めてごらん」。

もちろん、受洗者の決断を認めるかどうかは、親友の自由だ。親友がその場で『自分もキリストを知りたい』と思うか、『君のクリスチャンとしての生き方をもう少し見てから……』と思うかもまた、その友人自身の決断である。

ともあれ、キリストが歴史上の人物であって、それを証（あかし）する『新訳聖書』は空想小説でも夢物語でもなく、歴史的に価値の高い文献であることを、日本人の多くは既に知っている。今日に至るまで、人類の文化・文明においてキリスト教が大きな役割を果たしてきたこと、中でも「人間尊重」を中心とする現代のヒューマニズムがキリスト教の産物であるという事実を知らない人はいない。

社会にそのような貢献をしてきたキリスト教の原動力が、「キリストは神の子である」という信仰そのものであるということも、人々は知っている。そして『それは認めるが、信じる気にはなれない』というのが日本人の平均的な態度である。しかしよく考えていただきたい、〈歴史的現象としてのキリスト教を認めながら、同時に信仰を否定する〉という見方は、「キリスト教は錯覚の上に立っている」と断定するに等しい。錯覚——聖書を書いた人の錯覚、2000年続いた錯覚、殉教者の錯覚、愛を唱える人の錯覚、信者の友達の錯覚……敢(あ)えて問う、それらの錯覚は本当に錯覚だろうか。この質問に、あなた自身が心の中で答えていただきたい。

私は本稿の冒頭で、クリスマス・メッセージに含まれる二つの基調の一つとして「平和」を挙げた。この「平和」という言葉にもう一度目を向けてほしい。

前述のように、日本人の中で「キリストは神の子である」と信じる人は少数派だろう。「キリストは単に〝尊敬すべき一人の人間〟と言うにとどまる」と思っている人が大部分だと思われる。しかし、「愛し合いなさい」というキリストの教えを否定する人はいないはずだ。そこに、「信じる人」と〝信じていない人〟との間で深い友情が通い合う素地がある。すなわち両者は、〈キリストという絆〉によって結ばれ得るのである。その希望の実現こそがキリスト信者の願いであり、また「クリスマスが現代人に届けるメッセージ」なのである。

【編者註】「洗礼」についてネラン師が遺し、教え子に公表を託した神学的考察（未発表稿）があります。「ネラン神父遺稿集第3巻『サラリーマン神学のすすめ』」に収載しましたので、併せてご一読ください。

第Ⅱ章

教会の使命と信徒の働き

第1節

教会のあるべき姿

キリスト教は生きている

人々の理解を助ける「教会紹介」の仕方

分析すべき「現象」として物事を観る現代人

現代人は物事（ものごと）を現象として見る。〝納得できるまで何度でも分析・測定すべき現象〟として見るのである。批評も精神分析も、研究に価する現象となる。言い換えれば、現象のみが研究の対象なのだ。

理論は詭弁（きべん）を含むかもしれないし、権威ある人は顔にモノを言わせるきらいがある。現代を生きる人々は、理論に対しても権威に対しても猜疑心（さいぎしん）をもっている。『客観的で冷静なものの見方だけが科学的であり正確である。ベストセラーの生まれ方、TVと映画との競争、非行少年問題、人口と就職の相関関係や飲酒と交通事故、タバコと肺ガンの関係を表わすデータ……　どれ一つを取ってみても、それは客観的な現象である』と現代人は考える。

現象としてのキリスト教・生きているキリスト教

では、それに倣（なら）って、ここで一つの現象を考察してみよう。「キリスト教という現象」を――

それが心の平安をもたらすかどうかは別として——考えてみたい。

するとすぐに、次の三つの点が浮かんでくる。

(1) **役割**　キリスト教は、それが好ましかったどうかはともかくとして、西欧の歴史に大いに影響を与えた。このことについてはおそらく誰にも異論はないだろう。その影響は思想史に限らず政治、社会、経済などに及び、キリスト教を考えずに西欧を考えることはできない。翻(ひるがえ)って現代の教育を考えると、幸か不幸か、大学教育で扱われる課題のほとんどは、西洋にその端を発したものだ。こうした事情からキリスト教は、日本人にとっても無視できない存在である。もちろん程度の問題はあるにせよ、「キリスト教の役割」という現象には、真剣に考える価値がある。

(2) **傾向**　現代の日本では、キリスト教信者の数は極めて少ないし、増加率も低い。それは確かな事実である。この傾向は、『もはやキリスト教はその力を失い、〝無意味な現象〟になり果てた』という結論を導き易い。しかしそれは拙速な判断に過ぎるかもしれない、全てが数によって決まるわけではないのだから。

(3) **貢献**　明治維新から現代に至るまで、日本におけるキリスト教の影響は大きい。間接的ではあるが、「憲法」とか「民主主義」とか「一夫一婦制」とかは、いずれもキリスト教の産物である。

だとすればこれまで、キリスト教は日本に貢献したということになるし、『これからはそうではない』とどうして言えようか。

さらに、現代は国際化時代である。日本人のみならず人類にとって、「真の価値」は「普遍的な価値」でなければならない。現在、キリスト教は思いもかけないところに働いている。例えばＥＵ（ヨーロッパ共同体／かつてのＥＥＣ）の存在。直截に「ＥＵはキリスト教の産物である」と言うのは言い過ぎだろうが、キリスト教のないところにＥＵが生れ得なかったのは確かである。日本の言論界でもこの点の指摘は従来からなされてきた。月刊『経済往来』誌上における矢島鈞次氏の記述はその一つである。

以上のように、キリスト教を「現象」として把えても、それは今もなお力強く生き続けていると言うことができる。

日本人の「教会」観は三者三様

現代化への欲求

シンパＡ　キリスト教に敵意を抱いているつもりはない。しかし、キリスト教はあまりにも古臭い。我々は現代人として現代的なものを重んじる。〝現代的〟であることこそ、我々の思想の基調なのだ。例えば岩波書店の最近のシリーズが〝現代〟と名づけられているのを見ても、それは明らかだろう。

この現代化への欲求に反して、キリスト教は２０００年前の出来事を繰り返すばかりではないか。中世ならいざ知らず、我々にとってそんな〝進歩のないもの〟はご免だ。『もし、キリスト教が現代化してくれれば……』という夢がないではないが、現実のキリスト教は、過去を眺めているだけで発展性が感じられない。ま、宗教にしては進歩して来たほうかもしれないが……

シンパB　風雪に耐えてきたところに価値があるのだと思う。〝昨日の新聞〟や〝去年の雑誌〟なんか誰が読むものか。十年前の流行作家など、とっくに見向きもされなくなっている。しかし「古典」は常に生きている。変わらないからこそ価値がある、とも言えるだろう。だからこそ「聖書」は永遠の価値を持ち、キリストはいつまでも「人目を惹(ひ)きつける人物」でいられるのだ。

残念なことに、キリストの死以降〝歴史に現われたキリスト教〟は、その時代時代の主流となる思潮や体制と次々に妥協して、政治・経済・社会などに呑み込まれてしまった。その結果、教会は〝十字軍や資本主義の味方〟のような姿を呈したわけだ。それは、言ってしまえば〝キリストを置き去りにしたキリスト教の堕落〟だった。

キリスト教の価値は、「人間の変わらぬ心の奥底に語りかける」ところにある。僕だって〝俗化した教会〟などまっぴらだ。神々しい聖堂で、時代を通して変わらない普遍の教えを聴きたい。

現世の誘惑に負けないキリスト教のみが魅力を持つ。いったい、現にあるキリスト教の姿は、キリスト自身を表わしていると言えるだろうか。

第三の意見　なるほど……　A君は「キリスト教は現代化しなければならない」と言い、B君は「現代化してはいけない」と言うのですね。相容れない考え方ですが、どちらにもそれぞれ一理ありそうに思えます。

しかし、キリスト教が実際に進歩したのかどうか、信者である私の目にもそれは明らかではありません。『進歩した』とも『進歩していない』とも、言えば言えるのではないでしょうか。しかし「どこが進歩したのか」「どこが進歩していないのか」という点を指摘するとなると、そう簡単にはいきません。

答えになっていないとお叱りを受けるかもしれませんが、一言申し上げておきます。私は生きています。生きている以上、私は変化し進歩します。私は進歩しますが、しかし「変化した後の私」も、やはり同じ私なのです。私は変わっても、私には同じ生命が通っています。キリスト教の場合も、そう言うことができるのではないでしょうか。「そもそもキリスト教は生命なのだ」と私は信じています。

キリスト教は〝宗教〟ではない

客観的事実だけを宣べる使命を帯びて

日本的「宗教の概念」が当てはまらないキリスト教

日本人一般の考える〝宗教〟の概念は、キリスト教にも当て嵌(は)まるのだろうか。「宗教は心の問題である」と定義すれば、大方の賛意を受けるに違いない。〝心の問題〟とは『宗教は個人の決めごと』であり、『それはプライバシーの範囲を些(いささ)かも出るものではない』という意味である。

その定義を肯定するなら、〈特定の宗教に属するのは主観的な選択だから、各人が異なった宗教の信徒になるのはごく当たり前のこと〉となる。したがって異なる宗教間の争いなどはあり得ず、各宗教が共存することこそ宗教本来の在り方、本然の姿である。『私は私なりにこう信じる』と言ってしまえば、問題はそれで終わりだ。

ところがキリスト教は、そのような〝宗教〟に類しない。キリスト教は事実を、客観的な事実のみを宣べ伝える。キリスト教の本質は、心の持ち方でもなければ、神がかった思想でもない。その本質は、〈キリストという歴史上の人物が今も――目に見えない在り方で、だが――生きている〉という事実を知ることにある。

２０００年前に死んだ人を「今もなお生きている」とするのは、考えようによっては何とも不思議な断言に違いない。しかしその事実を取り去れば、キリスト教はその根底から崩れてしまう。キリスト教全体が無意味な残骸になり果ててしまうのだ。キリスト自身が現に生きているかどうか、問題はそれしかない。個人の印象、個人の気持ちなどは、本質とまったく関係のない雑音に過ぎない。

そこで、なすべきことはただ、キリストが生きているという証拠――証拠があることだけは確かだ――が十分であるかどうかを調べることである。十分な証拠がなければ、クリスチャンとは〝２０００年も前から人々を騙し続けてきた世にもけしからぬ山師〟ということになるのだから、すぐに消してしまったほうがよい。また彼らの〝教科書〟、日本を含めてどこの国でも永遠のベストセラーである「聖書」を、一日も早く発売禁止にすべきだろう。

しかし十分な証拠によって「キリストが生きている」ことが認められるなら、キリストは人間の中で最も秀でた人であり、キリスト教は歴史上最大の『現象』であって、全ての人と関係する事実となる。

キリスト教が伝える真理は客観的な真実であって、それを認める信者の信仰に依っているわけではない。認められていようといまいと、本当のことは本当である。信者が多かろうと少なかろうと、高邁（こうまい）な精神を堅持していようと堕落してしまっていようと、また教会が成功しようと失敗しようと、そんなことは「キリストが生きている」という事実を些（いささ）かも揺るがすものではあり得ない。さらに言えば、キリスト教的なムードを好むと好まざるとにかかわらず、キリスト教の客観性は歴史の客観性と同質のものである。それは〝宗教〟とは言えない。

常に「新鮮なしるし」を造る

『宗教とはReligionの邦訳語に過ぎないではないか』と抗弁する人に対しては、「それは誤訳だ」と敢えて答えたいと思う。キリスト教にも〝式〟がないとは言えない。が、それが中心ではない。人間の集まりにおいてキリストの実存を表わすには、何かのしるしが要る。そしてキリスト教では、そのしるしが形骸化しないよう、常に変化・止揚(しよう)させている。キリスト教にとって「伝統を守る」とは、〈キリストが生きていることを伝えるため、常に新鮮なしるしを造ること〉である。しるしは、固定したしきたりに縛られない。キリストはあくまでも人間に自由を与える。人々の人格そのものに絶対的な価値を認め、あらゆる絆――その宿命、その疎外感、その因習――から人間を解き放った。

　キリストという一人の人間が、この世に「絶対の価値」をもたらした。それゆえに、この世全体には意義があり、真の進歩がある。世界史を司るキリスト教は、敢えて識者に呼びかけている、「どうか、真摯な研究心をもっておいでなさい。どうぞ『キリスト教という現象』を調べてください。その歴史、その現状、その根拠を自由に究(きわ)めてください」と。そうすれば必ずや、キリスト教の客観性が顕(あら)われる。もし顕われなければ、皆で寄ってたかってキリストを抹殺すればよいのだ。

「〝宗教〟は博物館行きのもの」「偶像の埋葬は歴史家と美術論者に任せよう」「現代人はキリストを受け入れるか受け入れないかと、不合理な二者択一を迫られている」――２０００年前からこのかた、キリストを殺そうとした人は幾人もいた。彼らの〝努力〟のおかげでキリスト教はますます力を得、普遍性を帯びることとなった。そして今、キリストは、現代人に挑んでいる。

シロアムの塔――迷信を排し、不幸な人々を助けるために

きっぱりとした断言

北エルサレムにあるシロアムの塔が倒れた（ルカ13－4～5）とき、18人の住民が塔の下敷きになって死んだ。それを聞いて『死んだ者は運が悪かったのだ』と考えた人もいたが、神を信じる人の多くは、そこに神の意思の介在を感じ、『この惨事は天罰だ』と決めつけた。『その18人は〝罪多い人たち〟だったので、神が彼らを罰したのだ』と判断したわけである。

ところがイエスはこの事件について、人々にこう言っている、「この18人が、エルサレムに住んでいた他の誰よりも罪深い者だったというのか。決してそうではない」。「決してそうではない」という言葉は、いかにもきっぱりした響きを持つ断言である。イエスはここで、「不幸は天罰ではない」と諭したのである。

また、ある生まれつきの盲人に出会ったとき（ヨハネ9－13）、イエスは同じことを言っている。

弟子たちは『目が見えないのは罪の結果だ』と思っていた。その盲人は生まれた時から障碍を負っていたのだから、本人の罪とは考えられない。『となると、彼の両親の罪のせいだろうか』。弟子たちがイエスに尋ねると、「本人が罪を犯したのでも、両親のせいでもない」と、イエスはここでも断言した。そして、不幸の原因が何であるかをイエスは教えない。イエスと同じく、キリスト教も同じく、〝不幸の原因〟なるものを教えはしない。

「不幸」は天罰ではない

現代、シロアムの塔が倒れたのと同様の事態に際しては、原因を探り責任を追及するという対処が考えられる。警察や建築を所管する行政当局なら、建築にミスがなかったかを調べるだろう。建築会社は自社に落ち度がないことを言い張る。調査報告は結局うやむやのまま闇に葬り去られることもあり得る。

そもそも〝不幸な事態〟の真の原因を把握することは可能だろうか。戦争の場合は人間が作り出す不幸だと言えるが、天災地変の場合はそうではない。そのようなケースでは、不幸の原因糾明はすぐにも壁にぶつかる。

倒れたシロアムの塔の現場では、居合わせた人々が『天罰』を噂し合うことのほかに、もう一つの行動が考えられる。それは被災者・被害者のケアをすることである。建物の下敷きになった人を救い出したり、負傷者を病院に運んだり、孤児になった人の面倒を見たりすることだ。そしてそれこそ、キリスト教的な態度であると言える。

前述のように、キリスト教は「なぜ人が不幸に出会うのか」という問いには答えない。その問題は哲学者に任せ、ただ「不幸は天罰ではない」と主張する。人が癌を患ったとしてもそれは〝罪の結果〟でも〝精神を鍛えるための試練〟でもない。〝そこに神の手が働いている〟と言うなら、それは信仰ではなく迷信である。その迷信は人々を多分、〝御利益願望〟へと導く。

しかしキリスト教は〝御利益〟を否定する。〝絵馬〟も受け付けないし、〝災難除けのお守り〟も配らない。そしてひたすら、不幸な状態に陥ったあらゆる人を助けようとする。圧迫された貧しい人々のために解放運動を起こしたり、疫病の発生地へ医者を派遣したり、障害者や年寄りの世話役として献身したりする。キリスト教の精神に駆られて、信者は数々の病院を建てたし、点字の発明をも成し遂げた。

それでも、独身を貫く司祭はいる

「司祭の独身制」を巡る質問への明確な答え

【編者註】 本稿は１９６９年11月に脱稿されました。カトリック教会が現代化を目指して抜本的刷新への諸作を打ち出した第２バチカン公会議の閉幕から間もない時期であることに注目したいと思います。また、まさに今日のカトリック教会を揺るがしている大問題、「聖職者による性虐待事件」の事案が多数発生していた時期でもあります（現在の教会は、当時発生しながら長く隠蔽された後、ようやく明るみに出た万余の同種事案について、その解明と謝罪と処分に追われています）。

ネラン神父がその時期に、以下の論文をどのような想いで書かれたのか、執筆から60年後に生きる私たちはそれを、行間から読み取ることしかできません。ただ、本稿は私たちに、独身である司祭の姿をどう見、どう理解し、どう評価すればよいのかについて、信徒として持つべき基本姿勢を明確に示してくれています。宣教心に促される信徒が手にすることになる本書に、敢えて収載させていただく所以（ゆえん）です。

※ネラン師が本稿を編者に託された時点で、「稿中の漢数字についてはそのままにしておいてほしい」との要望がありましたので、本稿のみ、そのように取り扱いました。

過激な応酬の時期が過ぎて

七、八年前に、「司祭は独身でなければならない」という古来の規則に対して、突如として激しい非難が浴びせられた。そして、それに応戦した教会の指導者らは一歩も譲らず、その制度を死守することに腐心した。指導者らは、司祭の独身云々を公に取り上げることさえ禁じた。その抑圧策が効いたのか、時間が経つとともに、独身に対する攻撃の鉾先は鈍っていき、それにつれて防禦のほうもやや緩んできた。どちら側でも、過激的な感情が冷めてしまったのである。したがって今、司祭の独身問題を冷静に考える時期が到来したと言っていい。

司祭の独身問題を考えるにあたってはまず、修道者（＝修道司祭）の場合とそれ以外の司祭（例：教区司祭、共同体所属司祭など。以下、「司祭」と表記）の場合とを区別しなければならない。現状、双方とも独身である点については変わりがないが、修道者が「修道」という道を選び、その特徴の一つである「終生独身」を誓っているのに対して、司祭は、現代の司祭制度の一つの条件として独身を守ることにしているのである。前者にとって「独身」は固有のものであって「貞潔」を含み、後者にとっては「従うべき規則」に過ぎない。換言すれば、現代の司祭は、修道者固有のものを借りていることになる。

〈「独身」は修道者固有の誓いであり、司祭にとっては〝修道界からの借り物〟であること〉が、時折見逃されているのは事実である。〝結婚した司祭〟という、東方教会のような少数のケースが忘れられがちだからというだけではない。数世紀以前、すなわちトリエントの公会議（１５４５

～63年の間、断続的に開催された第19回公会議）が、司祭の独身を「教会法上の規定」として明文化することにより、司祭が修道界から独身という制度を借用したのと同時期に、修道者も、本来は司祭でなかったのにだいたい司祭になったので、「司祭である修道者」と「独身である司祭」の区別がしにくくなって、ついには「実際の生活様式にほとんど変わりがない」という現在の常態に至った。それにもかかわらず、独身という制度は修道者固有のものなので、そこで「司祭にとっての独身の意義」をあらためて追求すべきだという議論が喧しくなったのである。

神の国の超越性を体得するために

言うまでもなく、独身は経済的に楽だから――果たしてどれほど楽か――選ばれるわけではない。また、独身者は一つの家庭に縛られていないから上司の意のままになるし、一心不乱に本務をやり遂げることができるので能率が上がる、という見方も、独身の制度を合理的に裏付けることはできない。因みに、『布教活動のためにそういった一身上の状態が必要だ』と主張するのは誤りであるし、また、「社会人の間における独身司祭の存在は神の国のシンボルであって、それだけで強力な説教となる」と言い張るのも――それをどれほど認めるかは別にして――、司祭の独身という制度の基礎を据えることにはならない。

そもそも、独身は「神の国に属することの証明」としてのみ存在する。神の国の超越性を教えるためではなく、それを体得するため、修道者はこの世の次元を超える状態に身を置くのである。

もし神の国を人類の終極目的として描き出すならば、修道者は一般人を尻目にして、また時間を超えて、ひとっ飛びで目的に達する者だと言える。また、もし神の国を「まず世俗的なものからの超脱」と看做すならば、「彼は人間の一番強い欲、かつ〝無常〟の代表である性欲を乗り越えて常住に生きる者」だと言える。時間を超えると言い、現世を超えると言っても、修道者の目的は「キリストとの出会い」のほかではない。キリストを体得するために、修道者は一種の超越的な行動を選び、ミスティックなヒーローのように振る舞うのである。

神との一致を望み、老い朽ちるまで結婚せずにいる男女

周知のとおり「独身」という制度は殉教の代わりとして発生した。すなわち、キリスト教帝国で殉教する機会がもうなくなった頃（四世紀）、熱心な信者たちは最初の修道院を建て、その修道生活――とりわけ独身――を、殉教の代わりと看做していた（キリスト教研究叢書『ろごす』Ⅳ、63頁参照）。その前後の事情を見てみよう。

西暦177年、アテナゴラスはキリスト教徒として、ローマ皇帝マルクス・アウレリウスに、次のような手紙を書いている。

「私どもはめいめい、定まった一人の妻を持っています。……けれども、もっと神に一致することを望んで、老い朽ちるまで結婚せずにいる男女も少なくありません。独身を守ることは神に近づくことであり、また、いろいろな想念や欲望に浸ることは神から遠ざかることになるのです。

……結局、人それぞれに、産まれてきたままの状態で一生を過ごすものもあれば、一度の結婚を大事に守る者もあるわけです」（Presbeia、33）。

二、三世紀の教父たちは「独身論」をたくさん残している。アンチオケアのイグナチオが登場する頃の原始キリスト教時代、既に教会の内部には処女のグループが組織されていて「名誉あるもの」とされ、特別な配慮を受けていたようである。司教たちがこのグループに、称賛と戒めを与えている。

けれどもこの時代、独身を守る処女たちは、社会生活まで捨てていたわけではない。三世紀中葉のカルタゴでキプリアヌスは処女たちに、「貴金属、装身具、宝石などを身につけず、公衆浴場や婚礼の宴に出ないように」と奨めている。これは明らかに、処女たちが修道院でなく俗世に生活していたことを示している。この習慣はずいぶん長い間続いたらしく、七世紀初めにもまだ、処女たちのうちには、家族の中で生活しているものが見受けられる。

しかしそのような処女たちも男子修道院の影響を受けて４００年の間に生活様式を変え、次第に「共同体組織」を形づくるようになった。

一方、男子の独身については、既に三世紀のエジプトで、独身を誓った男たちが砂漠に退いて〝隠者〟の生活を送る習慣があった。３２０年頃、パコームは最初の修道院を建てたが、その設立はたちまち大成功をおさめて、処女たちがまだ大勢、俗世で生活していた頃、修道士たちは、もうほとんど世俗生活を送っていなかった。

このことは、前述した教父たちの独身論の大半が、男子修道士でなく、処女を対象とした理由を物語っている。つまり、男子修道士よりも処女たちの方が、司教の忠告を要する立場だったのだ。

殉教の代わりに発生した「独身の重視」

その時から現代に至るまでの間に修道精神が変わったにしても、今もなお、そういった修道生活誕生の経緯から貴重な教訓を引き出すことができる。殉教をなし遂げるにも、終生独身を守るにも、英雄的な勇気が必要だという点もあろう。だがそれよりも、キリストとの出会いの絶大な価値が修道士を英雄的な行動へと促すのである。愛に駆られた信者は、キリストのために喜んで命を棄てようと思い、殉教を望んでやまない。死の恐怖が殉教の前に立ちはだかってその望みを抹殺してしまうかもしれないが、いったい、殉教する希望をいささかでも持たない信者は、果たして真の信者と言えるのか。キリストは絶対的であり、人間にも絶対的な態度を要求するにちがいない。「独身」こそは、その絶対性の実現なのである。

ところで、原始キリスト者の生活規範は「キリストに倣う」ことだと考えられていた。イグナチオの書簡には至るところに「キリストに倣う」という言葉が現われてくる。してみれば、キリストに最もよく倣う信者とは、殉教者ではないだろうか。「どうか、わが神の受難に倣うことを許してください」（ローマ人への書簡、第6段）、「イエス・キリストの御名においてなら剣の前は神の前となり、獣の傍らは神の傍らとなるのです」（スミルナ人への書簡、第4段）など、イグナチオの言葉は活き活きと脈打っている。

アレキサンドリアのクレメンスもまた、殉教者についてこう書く。「彼は勇気に満ちて、親しい主の御許へ去っていった。その肉体も魂も、喜んで主に捧げたのである。……彼は、われらの救い主が自分に呼びかけるのを耳にした、『愛しい兄弟よ』。……それゆえ、われわれが『殉教』を『成就』『完成』と呼ぶのは、人間がそこで生涯を閉じるからというのではなくて、愛が成就し、完成された成果を示すからなのである」（Stromateis Ⅳ、41）。

このように、原始キリスト教時代、信者にとって殉教は信仰の完成であった。しかしその迫害時代にも、一世紀から三世紀にわたって長い平和の期間があったし、３１３年には平和が確立された。要するに、殉教の機会をもった人々はごく少数だったのだ。

殉教を望んで遂げられなかった者には、もう一つの道があった。それが、貞潔を守って独身生活をすることだった。したがって、「独身は、殉教に代わる献身」と考えられるようになった。四世紀に、アタナシオスはごく自然に、処女・童貞者と殉教者を同一視している。「だれでも、キリストに身を捧げた処女たちと、敬虔に身を守る青年たちに、美徳のしるしがあるのを見て反省することができるはずだ。また、これら殉教者の大群に、不滅への信仰を認めることができるはずだ」（P.G. 25、185）。

殉教の代わりとしての独身——　今日では〝独身を守ることが殉教の一つの形式〟と見えるはずがないから、そうした見方に戻るべきだと言い張るつもりはない。だが、これを〝過去の古臭い見方である〟と考えるのは間違いだ。キリスト教徒を殉教へと駆り立てる情熱も、独身を貫かせる情熱も、根本的には同じ性質のものだということを、はっきり知る必要がある。つまりそれは、神の国にできるだけ早く行きたいという望みの表明なのである。

さらに、独身を「殉教の代わり」と表現するのは、それが生易しいものではないことを暗示している。信仰は一種のヒロイズムを要求するということを再認識しよう。信仰が迫害の時代に「殉教」を要求するものであるならば、平和時に「独身」という形でのヒロイズムを要求するのは当然であると言ってよい。ひとこと付け加えれば、結婚を選択した者にも、結婚のモラルを守るために、こういうヒロイズムが求められる。

「司祭性」とは何か

以上で「独身」の意義を言い尽くしたわけではないが、本稿では「司祭が独身でなければならないかどうか」という問題を扱うほうに主眼がある。そこで、「これからは〝結婚した司祭〟があってもいいか」、あるいは「〝結婚した司祭〟がいてほしいか」という点に絞って考えてみよう。

東方教会には結婚した司祭がいる。彼らを二流、三流の司祭だなどとは誰も考えていない。しかも実は、ラテン系の地方教会にも――稀(まれ)ではあるが――結婚した司祭がいないわけではない。この事実は「結婚した司祭」の可能性を物語っているが、こうした実例は通常、例外と看做されているようである。したがって、司祭が結婚しているならば、それは確かに「今までと違った〝司祭の姿〟」である。が、その場合、〝姿〟だけが変わったと言えるのか。もっと深いところでの変化ではないのか。結婚した司祭は修道司祭と同じ類の司祭であろうか。司祭像の違いにとどまらず、「司祭であることそれ自体」が異なってくるのではないか。

そもそも、司祭であることそれ自体――いわば「司祭性」――は、永遠に変わらぬ本質であるのか。それを肯定するなら、「司祭性とは何か」という問いに答えられるはずである。

往々にして「司祭とはイケニエを捧げる者だ」と定義されるが、教会史はこの見方を十分に裏付けてはいない。司祭の叙階式において按手の際、司教は受階者が司教団の協力者になるよう願うが、それは司牧上の上下関係を誓わせるものに留まる。また新約聖書の中に、司祭性についてはっきりと書かれた箇所はない。

要するに、司祭制の「永遠に変わらぬ要素」は把握しにくいのである。それがあるとしても、その実現の仕方は時代によって、ところによって変わるに違いない。だから、「司祭制の本質」の問題は差し置いたほうがいい。司祭像は今までも変わってきたし、これからも変わり得るということを認めるだけで十分である。

したがって、結婚した司祭の姿を想像するのもあながち無駄ではない。結婚した司祭の姿を描き出そうと思うとき、モデルがいないわけではない。まず、結婚した牧師がいる。彼らの多くは十分に尊敬される指導者ではないか。もしカトリックの立場から見て非難すべきところがあるとすれば、それはプロテスタントだからであって、結婚しているからではない。

もう一つのモデルが考えられる。それは企業や団体における組合の執行委員である。彼らの多くは家庭を持ち、働きながら、組合員労働者と密接な関係を保って、指導者の役割を果たしている。確かに自らが築く家庭への関心と、労働組合運動（ときには闘争）への献身との間に一種の緊張が生じるが、結婚していることは自分の活動の妨げであるよりもむしろ、労働者同士に共通した「欠くことのできない基盤」となっている。

さらに、結婚した司祭の姿の具体的な点を推察することもできる。結婚した司祭はおそらく、信者の出す維持費によって生計を立てるよりも、サラリーマンとして自分の月給で暮らすだろうし、司祭館と呼ばれる建物ではなくアパートに住むだろう。また、典礼を重視するのと同じくらい、社会問題に気を配るだろう。結局結婚は、目立った変化ではあっても、司祭像の変化の一部に過ぎない。

「旧・司祭像」と「新・司祭像」のせめぎ合い

けれどもそこには、一つの問題が残る。「現在の司祭像では十分ではないのか」という問いだ。何が新司祭像への変化を促すのか――　それに対しては、「キリスト教の見方が変わりつつあるのだから、司祭像も変化しなければなるまい」と答えることができる。今までのところ司祭は教会の代表として「神の国」を、どちらかといえば来世のものと教えていたし、彼の神学や世界観は歴史に依らず、永遠という次元に属する価値体系であった。彼の生活も彼の説教も、現世からの超脱を奨励していた。モラルという点で言えば、社会の邪悪から逃れるよう勧告され、あるいは「盗むなかれ」という個人の道徳が重視されていた。結局、「聖人になる道は、何よりも修道である」と教えられてきたのである。

　ところが現代の信者は、キリストが歴史の中心であることを意識し、キリスト教は歴史のリーダーシップを執（と）るべきだと考え、永遠の真理よりも今日の問題を、キリストの眼で見たいと思っている。個人のモラルは常識に過ぎないと弁（わきま）える彼にとって、「盗むなかれ」の意味するところは「キリストが示す愛と正義に沿った経済政策や平和政策」である。要するに、超越性から受肉へとキリスト教観の重点の置き方が移行している。そして、現代信徒の司祭像も移行する、修道士のような司祭から社会のリーダーたる司祭へ。

　しかしながら現在の段階では、そういった新司祭はまだほとんど見当たらない。そして、その出現が必至とは思っても、それを素朴に歓迎してばかりもいられない。どういう変化においても、新しい良さを受け入れることは、一方で旧（ふる）い価値を棄て去ることになるからである。新司祭像はキリストの受肉を豊かに表現するだろうが、同時に、キリスト教の超越性をぼかす怖（おそ）れもある。

　修道者のように独身を守る司祭は感嘆の的であり、その存在は人に投げかけた問いそのもののようでもある。さらに、本人にとって「独身性」は、常に聖性への招きであって、いつも教会を脅（おびや）かす官僚主義に対する強力な薬である。が、受肉という名前でその貴重なものを犠牲にすることが果たして正しいかどうかという疑問が当然起こる。もちろん、「修道者の独身性は修道者に返せ」と告げ、「司祭は修道者ではない」と言うのも、答えの一つではあろう。しかしこの答えを十分に受け入れるためには、次の二点をはっきりと認めなければならない。

まず、これからも何人かの司祭が、それを命じられるのでなく自発的に、「終生独身を守ることにする」と宣言することが望ましい。

「将来のことは分からないから、独身を誓うのは不可能だ」という意見が時折出るが、それは誤りである。人間にとって忠実を誓うことは、むしろ最も優れた行為である。「万物のうちで、約束することができるものは、人間だけである」とニーチェは言うが、キリストを信じる者が絶対的な約束をするのは当然である。現在何らかの事情があって、そうすることが不可能だというのならば、それは一時の妨げに過ぎない。

次に認めなければならないのは、「今までの司祭は誤っていなかった」ということである。私たちは何を目の前にしても、歴史的な発展という立場から見ることに慣れている。その結果、〝旧〟から「新」へという変化を認めるのは、〈悪から善へという変化を意味することなどではない〉ことを知っているし、〈より良くなったということを認めることにすら必ずしもならない〉ことも弁えている。そのことを忘れてはいけない。

よって、その時代の旧式の司祭を高く評価するのは、将来現われる新式の司祭を軽蔑することではない。それと同様、未来に「結婚した司祭」の出現を願うことは、修道士のような司祭をないがしろにすることではない。

司祭に結婚が許される日が来ても

結論は簡単である。現代のいろいろな変化に伴って、司祭像も変わるだろう。その変化の一面として、「司祭が結婚してはいけないという規則が廃止され、妻帯者の司祭が現れる」という現象となるかもしれない。結婚か独身かという選択を本人に任せるという時代の到来――現在は(好むと好まざるとにかかわらず)この結論に向かって、徐々に進んでいる過程にある――という次第である。

なお、二つの些細な問題に触れておこう。

一つは、「司祭になってから結婚が許されるのか、それとも、妻帯者も司祭になり得るのか」という疑問について。

「後者だけは前例はあるから、既婚者の司祭叙階は許されるべきだ」と主張する人もいる。だが、それは無理な区別ではなかろうか。結婚した司祭がよければ、結婚式と叙階式の「前後」が問題になるはずがないからである。

もう一点は、次のとおりである。「もし突然、司祭に結婚が許される日が来たら、早晩、全ての司祭が結婚するのではないだろうか」という疑問。

だがそれについては逆に、「独身が義務ではなくなっても、自分との約束を守ろうとする司祭が少なくない」ことが推察される。

戦時中、長崎の故・中田藤吉神父が警察の尋問を受けた。「あなたは結婚していますか?」「はい！」「あなたの妻の名は？」「エクレジア！」。エクレジア（Ecclesia）とは「教会」の意である。この中田師のユーモアの蔭には、深い真理が隠されている。

司祭に結婚の自由が与えられる日が来るとしても——誰もそれを行使しない事態を見越してのことではないだろうが——私自身、躊躇なく後者に与する。

未来の「教会」を夢想する

「あるべき姿」に向けた12の課題

教会は「信徒の団体」だから

私は本稿のタイトルに「教会」と書いたが、もしかしたら「信徒の団体」と書く方がよかったかもしれない。なぜなら、人は〝教会〟と聞くとすぐに、司教とか司祭という聖職者の姿を連想するからである。そこで、本来あるべき「信徒の団体」の姿を夢想してみる。当然それは、キリストの教えを伝えその導きに従った初代教会の姿に繋がるものとなるだろう。

❶本書別項でもたびたび触れているように、教会の職務を担う人は僕（しもべ）の身分にとどまるべきで、一般信徒より高い所に位置すべきではない。それはマタイ20－25～28、同23－8～11、ヨハネ13－1～11などを読み返せば十分納得できるはずだ。

そこで本稿では、「『教会』は信徒を中心とした団体を指す」こととする。なお本稿は〈未来の教会〉の組織という「限られた側面」しか扱わないことを、予（あらかじ）めお断りしておく。

❷キリスト教の原点は個々にキリストを信じることではなく、団体としてキリストと一致することである。そして「信者の共同体」を「教会」と名付ける。

どんな団体でも組織を持つ。10人の人が集まれば、世話役が必要になる。教会にも当然、組織がある。しかし、キリストが教会組織を現在の形態のように定めたかといえば、それは大いに疑問である。

イエスは組織としての教会についてほとんど語らなかった。マタイ16－18の「教会」さえも、イエス自身には遡(さかのぼ)れないだろう。結局、教会の組織についてイエスがどう考えていたかは窺(うかが)い知る術(すべ)もない。

だがそうであっても教会が、人間社会に見られるような「組織」を組み立てることは正しい。受肉によって、人間の作り出すものは神の御旨(みむね)に適(かな)うことになるのだから。ただし、人為によって生まれたものは、時代の変転に従い、人為の赴(おもむ)くままに変えられ得る。

イエスは「教会」についてほとんど語らなかったが、弟子の相互関係の基礎を確実に据えた。すなわち、「上になりたい者は、皆の僕(しもべ)になりなさい。あなたがたは皆、兄弟なのだ」と。しかし、聖職者はこの戒めを見事になおざりにした。現在の状況はまさにイエスの指示の真逆である。「僕」であるはずの司教や司祭が、「主人」である信徒を支配している。未来の教会では、信徒たちが教会の役割を分担する人を選挙で選ぶ。そしてその任務には任期が必ず決まっているものとなるだろう。

❸教会の活動には「司牧」と「宣教」があるが、それぞれはまったく異なる。前者の対象は信者であり、後者の対象は「信者でない人」であるから、司牧と宣教の間には明確な一線を画さなければならない。両方を混同して活動計画を立てるなら、どんなに熱心に取り組んだとしてもその計画が〝虻蜂取らず〟に終わることは明らかであろう。

❹「宣教」とは「信者でない人にキリストを紹介すること」と定義しよう。そして、それに取り組む覚悟を『宣教熱』と名付けよう。宣教が教会の重要な使命であることは新約聖書が十分に教えているし、キリスト教の歴史もそれを示している（ボッシュ『宣教のパラダイム転換』参照）。一言で表現したければ、「教会はまさに宣教するために存在している」というパウロ六世の言葉（『福音宗教』14）を引用できる。

ところが日本の教会の現実を見れば、聖職者の間にも信徒の間にも、宣教熱はいささか乏しいと認めざるを得ない。その理由はいろいろ考えられる。たとえば、『日本人にとっては日本教で十分である』という信念が根強いこと、『キリスト教は実生活の上に何のプラスももたらさない』と思われていること、自分の信仰を負担に思い、それを他人に負わせたくない気持ちが信者の間にあること、聖職者が『自分は宣教に不向きだ』と思って遠慮し、司祭依存症という病に罹っている信者も同じ態度を取っていること、日常会話で〝宗教〟という話題はタブーであること――など。

ここでそういった口実、ないし理由の是非を取り上げるつもりはない。ただし、宣教熱の欠如がどれほどキリスト教を疲弊させるかを見逃してはならない。年ごとに日本人の信者数が減っている現実から目を逸らさないでいたいものである。

❺例外もあるが概して、「キリストの福音を宣べ伝える者」と「その対象になる人」は、互いに同じ社会的立場にある。すなわち、サラリーマンに向かってはサラリーマンが宣教する。主婦には主婦が、学生には学生が宣教にあたるほうが納得を得やすい。

この事実は、社会人である信徒が持つべき責任と権威を如実に物語っている。キリストを証しする機会を見つけること、出てくる反論に答えること、教義を教えること、そして洗礼を授けることなどは、いずれも信者の使命である。信者こそがキリスト教の未来を双肩に担っているのだ。

例外は『師弟関係』の場合である。信者の先生の感化を受けて、弟子がキリストに出会うことになる可能性は少なくない。『先生』と呼ばれている人は夥しい数にのぼるが、その中には先生と呼ばれるに相応しい「影響力に富んだ先生」が確かにいる。模範的な宣教者であった遠藤周作が「先生」と呼ばれたのは当然である。

なお、現在の神父にとって、自らが社会人でないことは宣教の妨げになるが、その中にも「先生」と認められる人材がいないわけではない。であれば彼は、教会外の人にもメッセージを送ることができる。

❻「どういうふうに宣教するか」という質問に答えるのは、信徒自身である。だからその回答は本稿には出てこない。しかしカトリック教会にとっては、先決すべき問題がある。『他の〝宗教〟と呼ばれているもの』や『プロテスタント教会』が宣教の対象になるか――これら二つの〝考えられ得る宣教の場〟に関して、態度を決定しなければならない。

まず、キリスト教は断じて「宗教」ではない。Religionというカテゴリーに入れることはできるが、それはReligionの規範がキリスト教だから、である。しかし日本では、〝宗教〟の代表的規範が仏教なので、キリスト教を宗教と同列に位置づけるのは、仏教の一派と看做すに等しい。キリスト教側からはもちろん、仏教側からもその位置づけには『御免蒙(こうむ)りたい』との声が上がるだろう。

キリスト教は宗教ではないので、他の宗教を攻撃することも、何らかの共通点を探る作業もする必要がない。それを意識した上で、日本における未来の教会は『宗教法人』を放棄し、「社団法人」の資格を取ることにする。さらに、プロテスタント教会がカトリック教会と同じ教義を宣言することは、既に公表されている。カトリック教会も信者が中心とされるならば、一致は完全になる。共同宣教の時代が始まるのである。

❼細胞が身体を形成するように、信者の小集団が未来の教会を組み立てる。すなわち、まず信者たちは一つの家庭に集まる。その集まりを「家庭教会」と名づけよう。家庭とは、文字どおり個人の住居を指す。家庭教会でミサを挙げ、宣教計画を立てることになる。また、その他の霊的な

活動を営む。かくて「家庭教会」が誕生する。「家庭教会」制度はローマで、そして他の地域でも四世紀まで生き生きと続いていた。コンスタンチヌス帝の治世まで、聖堂という建物はなかった（Roger W. GEHRING : House Church and Mission 参照）。

各家庭教会の信徒数は50人から80人くらいが理想だが、手狭な家屋を考えれば20人程度しか集まることができないところもあろう。会長、家主、ミサの司式者などはそれぞれ別の人で、いずれもスタッフ・メンバー（奉仕者＝僕（しもべ））である。また彼らは必ず社会人として自立し、どこかで生業を営んでいる。さらに、奉仕者の任務には任期がある。一般的には3年、1回だけ再任できるという規則が望ましい。

当然、現在の小教区とその拠点となっている聖堂は消えてしまう。所詮、週に1～2時間しか使用されない建物を持つのは、公序良俗に反することである。

また、司祭も姿を消す。信徒がミサを司式する（その点については本書別項を参照）。

信徒が直面する最大の困難は〝自宅に他人を受け入れること〟である。現在、大都市において住民は隣人をろくに知らず、同時に自分もまた知られていない。その傾向はプライバシーを守って各人に自由行動を享受させる反面、〝閉鎖家庭〟を生み出す。結果として、友人同士の場合でさえも『お宅は敷居が高い』と言わせるほどになる。けれども、キリストを信じる者はあくまでも兄弟である（マタイ23－8など）。初代教会で信徒たちは皆ひとつになっていた（使徒言行録2－

44）。兄弟であれば、互いに自宅を解放し歓迎し合うのは当然である。

そういった兄弟愛の実践は、心地よい自宅（＝家庭）を乱すことになり、社交ルールを踏み外すことになるかもしれない。しかし、「キリストの弟子は日々、自分の十字架を背負わなければならない」（ルカ9－23）という教えを思い出すがよい。「家庭を開く」という決定的な一歩を踏み出すのは、未来の教会の基礎を据えることである。

❽近々、「結婚した司祭」および「女性司祭」が出てくることが予想される（前項参照）。その刷新は進歩的と見えるが実は後戻りにすぎない、教会の中心は司祭ではなく信徒なのだから。

現在、司祭の主な務めはミサを挙げることである。未来には信徒がそれを行う。ミサ以外にも、司祭が営んでいる司牧活動がのうち、たとえば信者の子どもにキリスト教を教える、病気の信者を見舞う、訪ねる人の質問に答えることなどは、司祭と同じくらい（もしくは司祭よりもうまく）信者たちがやってのけるから、彼らに任せるべきである。つまるところ未来において、司祭職は無用になる。

❾家庭教会の傍らには必ず、顧問役として神学者がいる。その人（または神学者グループ）は未来の教会において、かけがえのない存在である。神学者の役割と立場は、公会議のPeritus（専門家）を模範とする。公会議では司教の傍らに神学者がいて、顧問の役割を果たしている。率直に

言えば、彼らは知識や洞察力の面では司教をはるかに凌駕(りょうが)している。しかし決定権は司教のみが握っていたから、神学者の役割は、準備したり助言したりすることだけであった。同様に家庭教会の顧問も、積極的に教えるが、決定はしない。実施するのは会長である。顧問の数は少ない。2000人の信徒につき1人ぐらいでいい。教区は彼らを育て、専任者として維持する。

❿家庭教会は集合して「教区」を成す。会長たちが集まって評議会を構成する。家庭教会の数が200以上になれば、教区の下位に位置する「地区」という段階を設ける必要があるだろう。

教区の長は選挙で任命されるが、選挙は2段階で行われる。信徒が選挙母体を選び、その母体が教区長を選出する。任期は3～5年間で、1回は再選できることとする。

⓫現在、司教は――少数の例外を除けば――ローマの司教から任命されている（昔は国王が任命していた）。それは非常識だと言わざるを得ない。未来においては、以下のように改善される。すなわち、司教の貴重な使命の一つは〈全世界の司教団のメンバーであるという地位を生かすこと〉である。それは「自分の教区とカトリック教会との一致」を表明しつつ「全司教団の指導精神に進んで参加する」ことを意味する。未来の教区長は、その意味を受け継いで責任を担う。そしてITが進歩した近未来においても「愛の中心であるローマ教会」との交誼(こうぎ)を保持するため、教区長はローマ滞在の代理者を派遣するだろう。

ところで、未来の教区長に関して厄介な問題が一つある。現在の司教は「聖別された者」とされているが、それと同様に未来の教区長も聖別されるべきかどうか、ということである。

イエス自身は聖⇕俗という対立軸を否定する（（マルコ2－17、同2－25～27、同7－19）および『神殿の幕が裂けた』の意味（マルコ15－38）を参照）。

新約聖書に『聖別化』は見られない。「聖なる者」とは「洗礼を受けた信徒」を意味するのみである。『按手の礼』は聖別することではなく、「使命を与えること」を意味する（使徒13－3）。

アンティオキアのイグナチオの時代には Episcopos がいた。しかし彼らの聖別などは記録されていない。その上、「教会（信徒の団体）は自分の司教（Episcopos）を派遣した」（ヒラデルヒヤX）とイグナチオは書いた。現在の信徒が読めば驚くこと必定である。

けれども三世紀になると、司教の地位に就かせるため、教会から選ばれた人の上に、先任司教が按手礼を行うようになった（B・ポット著『聖ヒッポリュトスの使徒伝承』／オリエンス宗教研究所・刊）参照）。それによって新司教は、全司教団のメンバーに叙階されると看做された。同時に「聖別」という語は出てこないにしても、彼は『聖別されている』と認識された。それはともかく、その時代以降、司教は一生涯聖職者と看做されてきた。還俗の例はまったくない。

このように、キリスト教は受肉の結果として「俗」というカテゴリーを否定する一方、三世紀以降、「聖職者」という特権団体を設立した。これは一見したところ矛盾のように思われる。教会の長い伝統を無視するわけにもいかないが、未来の教会で終身聖職者が認められるはずはないからである。

　しかし、その点の解決はそれほど難しくない。未来の教会は「按手礼」を行い続けるが、その意味は聖別することではなく、本来の意義どおり「限定的な使命」を与えることになるからである。

⓬未来の教会が宣教を主目的とするならば、そのためには現行の『通常の教え』について抜本的改革が必要になる。第一、従来の教えは一九世紀の神学を反映したものに過ぎず、時代遅れになっている。次に、現状、『通常の教え』は信者を対象としたものである。信者でない人を迎え、その人に与えるとすれば、まずは、彼らの『ものの見方』をよく理解しなければならない。例えば次のような立場を推察できる。人が信じない理由は、目に見えないものの存在は認められないからである。そうならば、〈「見えない実在」を「見えるしるし」によって開眼させる〉のが第一歩となる。それは、キリストを宣べる以前の課題である。

第2節

キリストが望む信徒像

クリスチャンとは

キリストと語り合う者

彼は間違いなくキリストを知っている

一括り（ひとくくり）に「クリスチャン」と呼ばれる人たちがいる。カトリック教会では普通、「信者」とか「信徒」と呼ぶし、本書中では「キリスト信者」とも表記しているが、意味は同じで「キリストを信じ、キリストに倣う（ならう）生き方を選び取ってその道を歩む人」のことだ。

それだけのことであるから、洗礼を受けてクリスチャンになっても、それだけで知識が深まったことにはならないし、身分が高くなるわけでもない。クリスチャンといえども世の中に生きていれば成功したり失敗したりするのである。

また必ずしも、『クリスチャンとは徳の高い人』と言うことはできない。もちろん、クリスチャンは君子とも英雄とも違う。クリスチャンとはあくまでも、「キリストに出会った者」の意である。出会いを通じてキリストを知り、キリストの姿が分かっている人――　それはちょうど、幼少期の子どもが母の姿を事細かに描き出せないながら、母の顔をはっきりと知っているのに似ている。クリスチャンもまたキリストの姿を事細かに説明することはできないにしても、間違いなくキリストを知っている。

キリストに出会ったこと――それはつまり、友人に出会ったということだ。歴史上に現われた偉人の思想・知識・感情などを身に付けたのではなく、一人の友人を得たのである。彼はもはや孤独ではなくなった。孤独感が襲ってこないとはいえないが、そんなとき、心の奥底にあの親しい人・キリストが示す友情が湧き上がってきて力づける。親しい友人よりもさらに親しく、信頼する者よりもっと信頼できる者。言ってみれば〈揺るぎない拠り所〉であるキリストは「親友」と呼ぶに相応しい気のおけない友人、腹を割って話し合える相手である。

その親友がいさえすれば、自分の生き方や日々の言行に確固たる自信が持てる。問題は全て氷解する。いつも友人の力に寄り掛かっていたい、と思う。だが不思議なことに、実際にはその友人の力に頼るのでなく、自分自身の力に頼っていることになる。自分の中に親友がいてくれ、親友の力が自分の力となるからである。

自己の中に見出すことのできる、そんな親友に出会った――ということは結局、自分自身を見つけたことに他ならない。私の心を開いた『友愛の鍵』は、自分のものでありながら自分に優る「賜物」である。子の賜物を戴いたからには、もう絶望などあり得ない。孤独のときに「助けてくれ」と叫ぶなら、その親友はきっと、「恐れるな、私がいる。私は道であり、喜びである」と答えるに違いない。

このように、クリスチャンとは〈キリストに出会い、キリストと語り続ける者〉なのである。

ペトロの信仰告白

「あなたはメシア、生ける神の子」

福音書の中に、キリストの一番弟子・ペトロの信仰告白を伝える場面（マタイ16－13～20）がある。その場面でペトロはイエスに向かって、「あなたはメシア、生ける神の子です」と言う。イエスはユダヤ人が期待していたメシアであるばかりでなく、ユダヤ人の期待を超えた神の子だった。ペトロの信仰告白は、キリスト教の信仰を完全に表わしている。

またこの場面を描く福音書の当該箇所は、最初の3節で当時のユダヤ人一般の考え方を述べている。彼らによればイエスは預言者である。『預言者』といわれる人物はユダヤ人にとって最高の位を指すが、神の子であることはそれをはるかに超える位置づけだ。にもかかわらずペトロは「あなたは神の子です」と言うのである。そこには「生ける神」という言葉が出る。「生ける」は「神」に掛かる形容詞で、日本語で言えば〝「神」のまくら言葉〟である。

ペトロの信仰告白を聞いたイエスは彼を褒(ほ)めるが、ペトロの立派な態度について、「それは神の恵みである」という評価を付け加え、信仰が神の恵みであることを強調している。この「信仰は神の恵みであること」については、私たちも肝に銘じなければならない。

この場面では、それまで『シモン』と呼ばれていた弟子が「ペトロ」という新しい名前をもらう。

ヘブライ語で言えばその新しい名前は「ケファ」。ケファは「岩盤」を意味する。そしてキリストは、「この岩盤の上にわたしの教会を建てる」と宣言した。「岩盤」と呼ばれる人物が教会の基礎になったのである。

以上のようにヘブライ語に置き換えれば、キリストがペトロに後事を託したことは明らかだ。ところが、ギリシャ語では岩をペトラと言い、ペトラは女性名詞である。だから、ギリシャ語のペトラはペトロという男性的な名前に置き換えられた結果、ヘブライ語の語意からズレることになった。ラテン語でも同じ欠点が出る。英語ではペトロがピーターとなり、岩にはロックと別の名詞を充てるため、元の意味は消えてしまった。日本語の場合も意味を重視して「いわお」とでも言ったらよかった（昔はそう表現した）のだが、今ではギリシャ語に倣って「ペトロ」と表記されている。

「あなたは神の子です」という言葉はずばり、キリストの神性を表わしており、キリスト教の信仰を完全に表明している。しかし、当時のフィリポ・カイザリア地域で、「ペトロ」はその深い意味を十分に意識されていなかったと思われる。なぜならそれは、キリストの復活以前の信仰告白だからである。キリストは復活によって、自分が「神の子」であることを示した。初期の信者にとって「キリストが復活した」と言うのと「キリストは神の子だ」と言うのは同じ意味を帯びる。

そうした前後関係を考慮すれば、フィリポ・カイザリアにおいてペトロは「キリストの神性を告白した」というより、「キリストに対する全面的な信用を表わした」と見るほうが妥当だろう。

ヨハネ福音書もペトロの信仰告白を伝えているが、言葉は少々異なる。ペトロは「あなたから離れたら、誰のところへ行けるのでしょうか。あなたこそ、永遠の生命の言葉を持っておられます」と言う。ヨハネでもこうした表現を用いて、ペトロは「キリストへの絶対的な信頼」を表わしている。

いずれにしても私たちは「ペトロの信仰告白」を「自分の信仰告白」としなければならない。イエスに対する全面的な信頼を表わす言葉としても、また「キリストは『神の現われ』であり『神の子』である」という信仰告白の言葉としても、ペトロの告白は最高の模範である。キリストに向かって「あなたは神の子です」と心から讃えようではないか。

宴会客の足を洗う女性の譬え

「許されることの少ない者は、愛することも少ない」

これも福音書の中にある話だが、「宴会客の足を洗う女性の譬え」は意味深い。

――「ファリサイ派のシモンと呼ばれる人がイエスを食事に招いた。それを知り、この町に住む〝罪深い女性〟が香油壺を持って来て、食事の席に着いたイエスの足を、泣きながら洗い始めた。シモンはそれを見て『この人がもし預言者なら、自分に触れている女性の素性が分かるはずだ、娼婦なのに……』と鼻白んだ。そこでイエスはシモンに「金貸しから借金していた二人の債務者」

の譬え話をし、問いかける。「一人は50デナリオ、もう一人は500デナリオの負債を返済しかねていたが、金貸しは二人の債務を帳消しにしてやった。二人のうちどちらのほうが金貸しに感謝するだろうか」。シモンは「負債額の多い方だと思います」と答えた。

イエスは「あなたの判断は正しい」と言い、女性を振り返った後、シモンに言った。「この人を見なさい。私があなたの家に入ったとき、あなたは足を洗う水をくれなかったが、この人は涙で私の足を濡らし、髪の毛で拭ってくれた。あなたは私に接吻してくれなかったが、この人は私の足に接吻してやまなかった。あなたは頭に油を塗ってくれなかったが、この人は足に香油を塗ってくれた。だから、言っておく。この人が多くの罪を赦(ゆる)されたことは、私に示された愛の大きさで分かる。赦されることの少ない者は、愛することも少ない」。そしてイエスは女性に「あなたの罪は赦された」と言った。（ルカ7－36～48より）――

罪の女を軽蔑する〝高潔な紳士〟

これについて、少し説明を付け加えてみたい。まず、イエスの時代の習慣と現代のそれとは大いに違う。現代、一人の女性従業員が宴会の席で、客の足を洗ったり、接吻したりするなどの接待行為はまったく考えられない。しかし当時の宴会といえば、招待客はソファーの上に横になり、その姿勢のままで食べたり飲んだりしていた。そしてそういう客を女性がもてなすのは当然だった。また当時、靴下のようなものはなかったし、人はサンダル履きで歩いていたので、足はすぐ埃（ほこり）だらけ、泥だらけになったものだ。だから、宴会客の足を洗うのは、もてなす側にとって当たり前の礼儀であった。ただし客の足を洗うのは主人の役割ではなく、召使いの仕事だった。

そう考えれば、譬えの中での女性の振る舞いは別段おかしなことではないと思われる。そもそも主人であるシモンにとって問題なのは彼女の動作ではなく、彼女が「罪の女」であるということだった。〝罪の女〟とは漠然とした言い廻しだが、おそらくは娼婦のことを指すのだろう。高潔な紳士であるシモンは、この娼婦を軽蔑していた。問題はそこにある。

この箇所を理解するために、こういう背景を想定することができよう。すなわち、イエスが会堂で立派な説教をしたので、シモンも彼女も感動した。そしてシモンは感動の赴（おもむ）くまま、イエスのために宴会を催した。つまり、シモンも彼女もイエスに魅力を感じ、近づきたいと思ったのだ。しかしシモンは内心、自分は「正しい人間」と自負する一方、彼女のことは〝卑しい女〟と軽蔑している。そんなシモンの心底を見透かし、考え方を改めさせようとして、イエスは「二人の負債者」という短い譬え話を持ち出す。念のために付け加えると、1デナリは1日の労働賃金に当たる金額だ。譬え話に出てくる負債者は二人とも借金返済を免れるが、当然、50デナリの借金をしたほうよりも、５００デナリの借金をしたもののほうが熱っぽく感謝する――　イエスのこの譬え話に登場した〝50デナリの負債者〟は品行方正なシモンを指し、〝５００デナリの負債者〟は娼婦を指す。つまりこの話の示唆するところ、正しい人があまり感謝しないのに対して、罪人は大いに感謝する、という結末となろう。譬え話ではこのコントラストが強調されている、「この女をごらん……塗ってくれた」と。

「愛」は「感謝」と読み替えられる

ところで、当該章の43節にも47節にも「この女は愛を示した」と書かれている。これはギリシャ語の正しい邦訳だ。しかし、イエスはアラマイ語で語っていたので、それを考えると、「この女は感謝を示した」となり、彼女が大いに感謝することとなる。もし「愛する」の代わりに「感謝する」という訳語を充てるなら、この文章が言おうとしている内容は明らかである。

なお、この譬え話にはもう一つ重要なポイントがある。この話の主人公はシモンでも彼女でもなく、イエス自身なのだ。イエスはシモン自身の考え方を見抜く。女の涙と接吻が感謝と愛を現わしていることを理解する。シモンの考え方を正すため、直接には関係のないような譬え話を上手に持ち出す。そして彼女に、「あなたの罪は赦されている」と宣言する。――もっとも、イエスは「私があなたの罪を赦す」とは言わない。受身形の言葉を使い、「神からあなたの罪はゆるされている」と宣言するのである。そしてその宣言にこそ、イエスの類いない権威が表わされている。

イエスは絶対的な存在である。〝イエスが預言者であるかどうか〟を思案しているシモンの態度はいかにも物足りない。「全面的に愛する」と表明する彼女の態度のほうが、私たちにとっては模範となる。考えてみると、人がどれほど徳が高いか、または徳がないかなどは問題にならない。キリストは、立派な人物にも罪深い人にも、「自分のもとに来なさい」と呼びかけている。キリストの呼びかけに応える人は幸いである。

信徒はキリスト教の「新鮮さ」を体現する

社会活動の終極目的は「神の意思」との一致

信者は信者でない人と同じように、日常生活の中で社会の諸活動に参加する。信者でない人との違いと言えば、信者は〈社会活動の終極目的が「神の意思との一致」であることを知っている〉という点だろう。その〈終極目的〉を宣べることは、信者にとって当然の務めであり、周りの人々に神の計画を積極的に告げるべきである。

しかし、〝公共の福祉を念頭に置いて、社会で計画・実施される相対的計画〟の次元と「神の完全計画」とでは、目標も手段も異なる。社会が神の計画を知らないか、もしくは気づいていても漫然とした受け取り方に終始しているからである。したがって、信者がその課題に取り組むとも容易ではない。

ここで予め、一つの誤解を解いておかなければならない。多くの信者はこう言う、「私は教会内で〝新米〟だから発言権がない。これといった業績がないから、信者として何もできないし期待されてもいない。私の才覚が認められるなら、そのときこそ活発に神の計画を周囲に宣べ伝えたい」と。

その言葉は必ずしも口先だけの言い逃れではないことを私は理解する。むしろ、多くの信者の偽らざる心境だろう。が、だからといってその態度が正しいことにはならない。

一体、サラリーマン生活の中で課長になった信者が、課長のイス（立場）を活用してキリストの姿を宣べるなど、あり得るだろうか。そんなことをすれば、社会人としても信者としても失敗を招くのは必定である。社員は〝業務上の義務〟と錯覚して課長の声に耳を貸すかもしれない。だとしてもそれは〝阿諛追従〟に過ぎず、キリストの姿は社員の心に残らない。社員は却って『憲法が自分に与えた信仰の自由が侵されている』と感じることになる。また、宣教に〝課長のイス〟を利用しないとして、幸いに課長が『立派な人物』と社内で認められていても、課長として立派なのか、信者として立派なのかを、社員が切り離して考えるのは当然である。分を弁えた課長なら、『自分のイスと、自分の信仰とははっきりと区別しなければならない』と感じる。社内で信仰を宣べようとする際、課長同士なら気にすることはないが、部下に対する場合、自分が課長であることをひけらかしてはならない。宣教するとき、課長であることに何の利益があろうか。教会内で自分を〝新米〟と弁えているのなら、社内宣教の場でも新米らしく振る舞うべきである。「新米らしい信仰告白」はそれ自体、同僚や社員の期待に沿うものとなるだろう。新米らしい信仰告白――それ以上でも、それ以下でもない、まさにピントの合った信仰告白がモノをいう。〝それ以下〟の場合には、本人が自分の信仰に妙な劣等感を持っていることが周囲に分かる。また〝それ以上〟なら本人の、高飛車に教えようとする傲慢さがすぐに露呈する。若い社員が会社に新風を送り込むように、信者は「新米らしい信仰告白」に徹すれば、キリスト教の新鮮さの魅力を感じさせることができるだろう。それならあなたにも、今すぐに実践できることではないか。

キリストによる自由

何かからの自由と、何かへの自由

人を縛るもの・解放する者

右の文の中で、社員が内心感じる「信仰の自由」に触れた。本稿ではあらためて各種の「自由」について考えてみよう。

私たちが「自由」について論じるときには、「何かへの自由」と「何かからの自由」を区別して考えていることが多い。

「何かへの自由」とは、人間が自由に自らの人生の目的を定め、それに向かって自由に進んでいくことである。恋人を自由に選ぶのはその卑近な例だ。

その点からみれば、「キリスト教的な自由」とは〈自分が生きる上でキリストを目的とし、キリストとの絆を強める自由〉に尽きる。

他方、「何かからの自由」というのはどういうことだろうか。キリスト教的な自由に対比して考えるときの「何かから」とは〝法律から〟〝過去から〟〝運命から〟の三つで、そこで言う「自由」とは、これら三つからの解放を意味している。

法律からの自由

キリストを信じる者は〈神と、その現われであるキリスト〉のみを「絶対的なもの」と認める。したがって、他の権威から生じる法律や規則は相対的なものに過ぎない。これらの法律が隣人愛を求め、志向するものである限りにおいて、それらの法規は信者にとっても守るべきものである。実際、信者は一般的に法律を守っている。

しかしそれは〝法律だから〟ではなく、それが公共の福祉と利益を正しく表現しているからである。換言すれば、法律に従うかどうかは信者にとって良心の問題である。

したがって信者は、人類愛や人間尊重の理念を妨げる悪法には従わない。もしも〝皇帝を絶対者として崇拝せよ〟と命令されたらそれを断固拒否する、どのような迫害を受けても。つまり、信者にとって良心は法に勝る。だから権力者から見た場合、キリスト信者は常に〝確信犯の候補者〟たり得る。

過去からの自由

社会は人の罪を赦さない。罪を犯した者には有罪の判決を下す。刑を終えても「前科者」の烙印がつきまとう。

ところが、キリスト教においては、罪人は赦される。罪を認めさえすれば、神がそれを必ず赦す。放蕩息子を温かく迎え入れる父親のように、息子を「前科なしの息子」の地位に戻す。

だから信者は良心の苛責(かしゃく)を感じなくて済む。信者は自分の過去から解放され、いつも新しいスタートを切ることができるのである。

運命からの自由

古来、『物語』は運命論の典型である。周知のとおり、神話の世界で『オイディプスがその父を殺し、その母と結婚する』ことは予(あらかじ)め定められていた。その神話を告げられた父母は、それが実現しないようにオイディプスを森の中に捨てたり、他国へ養子に出したりしたが、その甲斐はなかった。長じたオイディプスは、旅行中にある男を殺すが、その人は父であった。またオイディプスはテーベの国王になり、未亡人である女王と結婚するが、それは実の母であった。——この悲劇は〝神話は必ず実現する〟ことを物語っている。

それは昔の神話に過ぎない、という反論が出てきそうだ。では、科学万能の現代、〝運命論〟はなくなったのだろうか。大勢の人が街角の薄暗い灯の下で占いをしてもらっている。運命がないのなら、占いなどナンセンスではないか。

キリスト教は〝運命〟を否定する。信者は運命から解放され、神の賜物である「自由」を味わっている。人間は成功すれば運命などはあまり考えないが、不幸な目に遭(あ)うと運命論に陥りやすくなる。しかし、運命は錯覚である。信者は牢獄に入っていても、難病に罹(かか)っていても、そのことで神から離れているわけではない。かえってそのような時こそ神は近くにいる。「わたしは世の終わりまで、あなたがたとともにいる」とキリストは約束したのである。

キリスト者の自由

信者は「キリストの法」と結ばれている

「自由を得させるために、キリストは私たちを解放してくださった。（ガラテア5－1）」とパウロは書く。しかしこの言葉の邦訳は、原文より弱い。「解放」は原文で「自由化」の意である。「自由を得る」とか「解放される」という表現は、新約聖書の中にかなり出てくる。例えばガラテア5－13、同3－28、コリント前12－13にもある。「主の霊のあるところは、自由がある」（コリント後3－17）という記述をみれば、「自由を得る」と「救われる」とほぼ同じ意味になることが分かる。

ところで、キリスト者が〈自由な人間〉だとすれば、どういう方によって、どういう絆から解放されたのだろうか。ちょっと考えるとキリスト者は、社会生活を律する法令や規範の他に、もう一つの法を背負っているようにみえる。確かにキリスト者は「キリスト教の法」を認めるが、それ以前に「キリストの法」と結ばれている。

そして「キリストの法」とは何かと言えば、「愛」の他にはない。したがって「キリスト者とはキリストに愛され、キリストを愛する者である」と定義できる。

キリストの法は、この世を網羅するあらゆる種類の法律とは本質的に異なる。何より、キリストの法は霊的なものであって、人智が作り出したいかなる法律も、どんなに長文の法典を以てしても、「キリストの法」を言い尽くすことはできない。「愛」は、法律を通していくらかは実現するが、法律は〈「愛」の完全な実現〉ではない。人智が理解し得た「愛」を組み入れることはできるが、「愛」そのものとは違う。〈「キリストの法」である「愛」〉の立場から見ると、どの法律も不完全と言わざるを得ない。

地上の法が「愛」の表現なら、それは有効

キリスト者は「キリストの法」を〈自分を律する唯一の法〉として認める。他の法律は相対的なものに過ぎず、キリストの法によって是非を量（はか）られる。キリストの法を認めるがゆえに、キリスト者は地上の法律を認めるも認めないも、自由である。全ての法律から解放されている。従うべきか否かを「キリストの法」に照らして自ら決める。

この自由はいわば「霊的な自由」であって、恣（ほしいまま）に振る舞うことではない。地上の法律の拘束力から解放されるが、その法律がキリストの愛を現わす限り、有効性を認める。もちろん社会生活を営む上では社会の側がキリスト者に法律の遵守（じゅんしゅ）を強いることはできるが、地上の法が「キリストの法」に反する場合、キリスト者にとって〝反逆者になること〟それ自体は罪にならない。法律が彼を裁くのでなく、彼が法律を裁くのである。

世の法律が相対的なものであると言っても、一概に『法律が悪い』という意味ではない。〈「愛」に沿った秩序〉を保つためには、正しい法律が要る。したがってキリスト者といえども、先入観によって法律を悪いと決めつけることは許されない。同時に法律がいくら良いものであっても、せいぜい相対的な価値しか持たないことは、前述のとおりである。だからこそ、法律を改めることよりも〈絶対的な法である「キリストの法」〉を認識させることのほうが重要なのだ。そして人間に与えられた賜物である「霊的な自由」がその基盤となる。

『新約聖書』は「自由」という観念を、神学を深める目的で使っている。例えば「律法から解放された人間は自由」（ガラテヤ書）であり、「罪から解放された人間は自由」（ヨハネ8－32～36）である――のように。ただ本稿ではそのような神学的な使い方には触れないでおく。ただし、ここでコリント前3－22を引用しておきたい。

「全ては貴方がたのものである。パウロもアポロもケパも世界も、死も、現在の物も、将来の物も、ことごとく貴方がたのものである。」

このテキストは、キリスト者の支配権をよく表わしている。死さえも打ち負かす――この世の法律の最高の拘束力といえば人を殺すことであろうが、それさえもキリストによって死の絆を解かれた者に対しては無力になのだ、彼は「死に打ち勝っている」のだから。

パウロの時代には奴隷制度があった。自由を得たキリスト者はそれにどう対処すべきか。パウロはまず精神的な態度の刷新を説く。ソロモンに書簡を送り、表向きは奴隷制度に対する非難をせずに、〝盗みを働きピレモンの家から逃げ出したオネシモも今やキリスト者としてピレモンの兄弟であること〟を教え、「私同様に彼を受け容れてほしい」（ピレモン16～17）と書き送る。キリスト教的な「愛」に目覚めたピレモンがオネシモを自由の身にすることにパウロは期待した。

このように、「愛」の実践の第一歩は制度の改革でなく、霊的な自由を得ることによって踏み出されなければならない。コリント前3－23でもパウロは同じことを教えている。

地上の権威に対するキリスト者の態度

さらに、権威に対するキリスト者の態度を重視しなければならないことにも触れておこう。ピラトに向かってイエスは「上から賜わるのでなければ、私に対してなんの権威もない」と言う。神による以外の権威をキリスト者は認めない。

だからペトロは、パリサイ人の命令に逆らって「人間に逆らうよりは、神に従うべきである」とあえて言う（使徒言行録4－19、同5－27～29）。

しかしそれは例外である。「権威は通常、神によるものであるから、それに従うべきである」とパウロはローマ書13－1で強調する。そこでも〈権威は神によってのみ力を得る〉ことが教えられているのは明らかだ。

ところで、時代を問わず、社会の最も強い絆は〝金(かね)〟であろう。しかしキリスト者は、その絆からも解放されている。

福音は何度も〝金の危険性〟について注意を促す。金持ちの青年（マルコ12－21）は金との絆を解くことができず、イエスから遠去（とおざ）かっていく。彼は自由な人間になれなかった。

当時の人々を縛りつけていた〝慣習や常識〟からも、イエスは完全に自由であった。〝尊敬すべき先生〟と看做されていたパリサイ人に対して、無学のイエスは「偽善者」「愚かで物の見えない者たち」などと悪口をたたみかけ（マタイ23－4～33）、父の葬式に参列しようとする人に「その死人を葬ることは、死人に任せて置くがよい」（ルカ9－60）と言うが、それは当時の儀礼を完全に無視することだった。また習慣どおりの断食をせず（マタイ9－14）、取税人や罪人と交際し（マタイ10－1～4）、サマリヤ人、しかも女のサマリヤ人と語り合い（ヨハネ4－4～26）、罪の女を追い出さない（ルカ7－37）。

既に述べたように、人々が〝絶対的な規範〟と認めるこの世の法律を、キリスト者は相対的なものとしてしか認めない。それがキリスト者の根本的な態度である。

それは精神的な態度なので他人には気づかれにくいかもしれないが、しかし「キリストの自由」はいつか必ず表面化するだろう。

そしてそのとき、キリスト者は当然この世の反感を買う。パウロとその弟子は「天下を掻きまわししてきた人たち」（使徒17－6）であり、「街を掻き乱す」（使徒16－20）存在と看做される。しかしそれが、キリスト者の真の姿である。キリスト者とは真の自由を得た者であって、紛（まが）うことなき「革命家」なのである。

現代人の規範「人間尊重」の出どころ

右に述べたように、この世の支配権はキリストからキリスト者に委ねられており、それはキリスト者の自由な権利、ないしは義務をも含むものである。しかし通常、キリスト者の努力は社会組織を改善する方に重点が置かれている。キリスト者が革命家だということは、キリスト者が常にこの世の進歩を司ることを意味している。あくまでもキリスト者の目標は「神の国」の実現だが、「神の国を建てる」とは信者の数を増やすことではなく、世の改善から始まる。

しかしながら世の中には、キリストを信じていなくても『より良い社会を造ろう』と努力している人々がいて、彼らは一つの〝人間像〟と〝社会観〟を持っている。そして歴史上も現代においても、その人間像や社会観が大いにキリスト教の影響を受けていることは事実である。「人間の平等」「人間の自由」を唱える人々はキリスト教の産物を重んじていることに他ならない。

現代人が描く〝人間像〟や〝社会観〟とキリスト教との関係について、ここではこれ以上触れないだが、現代人の持つ〝人間像〟と〝社会観〟をひと口で表現しようとするなら「人間尊重」という言葉が最も適当だろう。それは、〈人間の裡(うち)には「絶対的な価値」があって、その価値を守るためなら全てを犠牲にしてもよい〉という考え方である。「人間尊重」に照らすなら、正義に反することは絶対に許されない。「人間尊重」の信奉者は「不正義への加担を強いられるならばいっそ殺されたほうがよい」とさえ思う。正義でも、真理でも、美徳でも、ともかく〈ある理想を持ってそれに忠実に仕えるために生きる〉ための実践こそが真の人間愛の発露である——　そのような考え方は現代人に多い思潮であり、キリスト者の見方でもある。

　とすれば、キリスト者の提供する人間像は、そういった現代人を「真に自由な人間」へと導き得るではないか。自らの良心に従ってその理想を追求する人、危険を冒しても良心に忠実な態度で臨む人、社会の現状に甘んじず常に改善を志す人、命を懸(か)けて悪を拒否する人……キリストの食卓に招きたい人が、あなたのまわりにも少なくないのではないか。機会を捉えて、その人に、あなたが確信する「キリスト者の自由」を提示してみるといい。

キリストと共に生きる――「価値観」大転換の向こうに

英雄への招待

イエスは困難を予告する

プチ・ブルの生活を、つまり、無難な道を理想とする人がいる。彼らはキリストを聴く耳をもたない。しかし一方に、いかなる危険を冒しても豊かな生活を望む者がいる。キリストの言葉は彼らのためにこそある。

ある日、一人の富裕な青年がキリストに近づいた。彼は〝立派な人〟になりたかった。そのとき既に、『自分の義務は全て果たしている』という自信はあったが、「それでもなお、『何か一つ自分には欠けている』と感じないわけにはいかない」と青年はキリストに心の裡を洩らした。その青年の心は私たちにもよく分かる。義務を果たす――モラルを守る――ことだけが生きる目的ではない。青年は他でもない、生き甲斐を求めていたのだ。そこでキリストは言った、「わたしに随いて来なさい」。しかしそれには条件があった。「家に帰って、持っているものを全部売り、その金を貧乏人に施しなさい」とキリストは命じた。この命令は、〈キリストに従うことは「冒険」でなければならないこと〉を示している。

またある日、父に死なれた人に向かって、キリストは言った、「私について来なさい」。彼は「その前に、父の葬式を出させてください」と頼んだが、キリストは「死んだ者の葬式は死んだ者に任せるがいい。私について来なさい」と命じた。

キリストは人々に呼び掛けて生き甲斐を提供するが、決して財産・娯楽・名誉などを提供しはしない。それどころか、ついて行く人には困難と迫害を予告する。「疲れている者、重荷を負っている者は誰でもわたしの所に来なさい。休ませてあげよう」という言葉は、福音書に一度出てくるだけだが、「自分の十字架を担ってわたしの後に従わない者は、私の弟子たるに適しない」といった類いの言葉をキリストは繰り返し述べる。

そういう危険や困難が予告されているにもかかわらず、キリストの許(もと)に集う人々がいる。キリストに従うためにペトロは漁業を、ヨハネは父母を棄てた。さらに夥(おびただ)しい数のクリスチャンが、キリストの呼び掛けに応えている。いや、むしろ苦痛が予告されているからこそ、キリストの呼び掛けには力がある。それは、英雄への招きなのだ。

南北問題解決のカギは「真の愛」

周知の事実

ある年、インドのラーンチー市を訪れたフランス人の農業学者に、現地の少年が「先生の国では、人々にとって何月が空腹の月ですか」と尋ねた。その学者は一瞬、ひるんだ。「私の国では200年前から、飢える人などいなくなっている」と答える勇気がなかったからである。ラーンチー地方には昔から〝空腹の季節〟がある。それはこれからもおそらく……

実際、発展途上国と先進国との間にある格差は、年ごとに大きくなるばかりだ。「最近の25年間に、発展途上の国々では、大小の変化と未曽有の進歩が見られた」と国連統計は報告する。にもかかわらず、この地球上に生きる人々の中の8億人くらいが『絶対貧困』から抜け出せないでいる。絶対貧困というのは栄養失調、学習機会喪失、病気、劣悪な住環境、高い乳幼児死亡率、低い平均寿命などの特徴を持つ貧しさのことだ。「それは、人間らしい人生には遙かに及ばない人生である」と、かつて世界銀行の頭取であったマクナマラは書いている。

私の脳裏でも、次のデータが谺して消えることがない。すなわち――　全世界の総生産の4分の3は、総人口の4分の1に過ぎない〝富める国々〟のものである。貧乏な国は4分の3の人口を抱えているのに、生産高は4分の1でしかない。

人口5500万人のフランス人の国民総生産は、8億人のインド人のそれとほぼ同じである。フランス人の一人当たりの収入は、チャド人一人当たり収入の50倍に当たる。

フィリピンでは、全世帯のうち〝貧困線〟以下の家族の占める割合が60％に達している。そして当分その率が下がる見込みはない。首都・マニラでは8000人の少年が、ゴミ捨て場を漁って食べ物を拾うのを日常としている。ミャンマーでは一人当たりの生産額は178米ドルになる（日本のそれは1万80米ドルである)。

ブラジル・レシフェ市の人口は200万人だが、そのうち80万人はスラムに住んでいる。同じブラジルでは、10年の間に貧しい農民のうち半数の収入が5％減っているが、同じ期間に1割の金持ちは40％の増収を得ている。

最近、メキシコの農業大臣は、深刻な栄養失調が同国人口の40％に及ぶことを認めた。メキシコ市では、乾期の終わり頃になると水が足りないので、貧困層に一日2リットルの水が配給される。他方、金持ちには自宅の芝生に散水するため一日2000リットルの水を使用することが許されている。

アフリカでは、一人当たりの収入は1974年以降、年々1％ずつ減っている。1986年、世界銀行は「アフリカの貧しい国々は1960年に比べて現在はもっと貧しくなっている」と発表した——

採るべき道

右に列挙したのは、老人の記憶に残る少し古い数字ではあるが、一定の傾向を物語っていると思われる。そこで、それらのデータを基に、取るべき道を考えてみよう。まず、人口の問題。世界の人口は現在80億人になっている。2025年には90億人に達するという推計もある。ケニアでは人口増加率が4％に及んでいる。この増加率が続くとすれば、今後100年の間に人口は32

倍に膨れ上がる。人口増加率が高ければ、どんなに経済が成長しても、人口増加に追いつくことはできず、その国は必ず貧しくなる。だから人口増加をぜひとも抑えなければならない。そのための「家族計画」を推進するには、教育が必要である。ところが、発展途上の国々の教育水準は極めて低いのが現状だ。

そうした状況を打開する方法として、富裕国が貧しい国に金を寄付すれば問題は解決する、と主張する人々がいる。

しかし実際のところ、富める国々は一般的に、見返りを求めずに金を差し出すのではなく、金を貸し、利息または〝見返り〟を要求するのである。

それは貧しい国にとって大変な負担になる。結局、貧乏な国はいっそう貧乏になり、富裕国はいっそう金持ちになる。１９８６年度に第三世界から富裕国に累積利息として支払った金額は１３０億米ドルで、同じ年に途上国が受け取った金額を上回っている。

さらに、発展途上国が受け取った金は、軍事費や国民の役に立たないプロジェクトのために浪費されたり、汚職に消えていたりしていて、結局、適切に使用された部分はわずかしかない。

日本は、貧富の差がそれほどひどくなく、国際社会の一部からは〝繁栄に浮かれる列島〟と看做されているようだ。事実、国内でも〝南北問題〟はあまり意識されていないように思われる。しかし日本人が「国際化」というスローガンを掲げるのならば、貧しい国々のことをもっと真剣に考えるべきではないか。

キリスト教には年間を通じて、『人間は皆、兄弟である』という真理を教えている節目がいくつもある。クリスマスや復活祭はその一つだ。そんなときにこそ、周囲の人々に向かって、いや、彼らと一緒に、「貧乏人を忘れるな」と叫ぶことができるよう、日頃からキリストを紹介しておくことを肝に銘じておきたい。

人格的交流の契機となるメディア——信仰と日常生活の接点で

テレビは新たな人間像を築き得る

テレビの出現は、グーテンベルクの活版印刷技術発明にも匹敵する重要な出来事であった。もっとも今では、テレビもマス・コミニュケーション・メディアの一角に過ぎないが、依然としてマスコミの代表であり、一番強力な情報伝達手段である。私たちは否応なしに「テレビ時代」に入った。しかもその影響は及び始めたばかりで、人々がどこまでテレビに感化されるかは予測もつかない。その影響力の大きさと勢力範囲の広さを考えれば、「テレビは新たな人間像を築き上げ得る」と言っても過言ではなかろう。

テレビは大衆に教養を伝播する。全世界のニュースを伝えるだけでなく、英語も物理も教えるし、海外のいろいろな生活様式や慣習を比較紹介したり、スポーツ放送によって娯楽を、音楽を通して芸術感覚を、映画を通じて夢を提供したりすることができる。

知識、遊戯、美――人間のあらゆる面の欲求を満たすテレビは、まさに〝万能の器〟と言いたくなる。近代までは限られた階級専用だった教養を大衆に開放し、人に真新しい視野を開いたにとどまらない。全世界の人々との繋がりを実現するから、もはや〝井の中の蛙(かわず)〟という諺(ことわざ)は通用しない。各人を隔てる狭い環境の壁をうち破って、人々が全世界へ飛び出すことによって「人間の連帯性」が具現される。そう、テレビは人間が本来持っている「普遍性への憧れ」に応え、その実現へと導く。

「我」と「汝」の繋がりを促す「テレビの効用」

しかし、テレビは一方的であって、視聴者には公的に反論する場がない。SNSなどインターネットメディアは今のところ、私的見解を表明する場に過ぎない。強力な宣伝手段でもあるテレビがその電波を通じて「真」を配るか「偽」を配るかは、テレビ局（と、放送免許を与える政府）次第である。考えれば、それは恐ろしい現実ではなかろうか。

仮に、『テレビ局経営者の考え方が偏向している』という思いは危惧に過ぎないとしよう。つまり、番組の選択・制作は中立を保ってなされていることにする。そうであるなら、視聴者は東西古今のイメージを通じて、さまざまな立場からの主張とそれへの反論、左翼と右翼の議論、進歩的なものと保守的なものの対比を、平行して見ることが可能だ。

しかしテレビが伝える情報を表面的に見る人は、『なるほど！　どんな意見でも成り立つものだ』

と思い込んだり、真偽のほども分からないまま〝懐疑主義〟に陥ったりする危険がある。もちろん、本来テレビに期待される役割は、視聴者を〝懐疑〟へではなく、「判断」へと招くことである。しかしどんな知識にも、人間を〝誤判〟へ追いやる危険性が潜む。テレビも例外ではなく、画面上に現われる夥(おびただ)しい知識の氾濫(はんらん)は、人間の判断力を溺(おぼ)れさせる恐れがある。

　テレビにはぜひ、その危機を脱してもらいたい。それはテレビによる情報の「送り手」と「受け手」双方にとって、どのようにすれば可能だろうか――

　〝現代社会は人間を画一主義へと招いている〟と言われる。だが、昔の生活様式と現代の産業文化を比較すれば、そう一概に断言できるかは疑問である。ただしマスコミが発達する影響として、人々が画一化に傾く面が強いということを否定できない。経済成長期の日本人は、同じ部屋割りのアパートに住み、同じ服を着て、年功序列で同額の月給をもらい、同時に同じ場所で同じ遊びに興じるようになっていった。その上さらに同じテレビ番組を観、同じ教養を身に付ける……これでは、個性がなくなりそうである。

　とはいえ、テレビの登場はマイナス面ばかりではなかった。人格の真の基礎が、テレビを通して発見されることを私たちが知ったからである。「人格」は、異なった服装や異なった生活様式によって表われるのではない。「我(われ)」と「汝(なんじ)」との繋がりが人格を形成する。テレビは人間の普遍性を教え、人間の生き方の一様性、または多様性という「水平線的な座標」をクローズアップする。

しかしそれを「人間像」に置き換えた場合、一様性も多様性も「人間像」の一部に過ぎない。人間の持つ「普遍性」は、形が同一であろうと多様であろうと、〈ヒポスタシスの共同体〉における各々の繋がりにある。

したがってテレビが描く〝水平線的座標〟の上に、「人格の交わり」という垂線を下ろさなければならない。こうした「人格化」の必要性を感じるからこそ、テレビはスポーツの勝敗よりも選手のひたむきな努力に、歌手の歌唱力よりもその人柄に重点を置いて、その人格の輪郭を伝えようとする。つまり、テレビは人格の交わりそのものを提供することはできないが、その契機となるのである。

テレビに限らずマスメディアは、人間を真のコミュニケーションへと招待する。それを「人格の交わり」へと昇華するかしないかは、情報の受け手である私たち次第、ということになる。

持つ——信者も物を持ちたがる。それは矛盾か

〈持つ〉ことは、人間性の一要素だが

「神と富とに仕えることはできない」（マタイ6－24）「物を買う人は持たない人のようになりなさい」（コリント前7－30〜31）「何も持たないようであるが、全ての物を持っている」（コリント後6－10）——繰り返し教えられていながら、現実には、信者も〝物〟を持ちたがっているようだ。それ

は、信仰生活に生きる者としては矛盾した行為なのだろうか。立ち止まって、考えてみよう。思いつく点を列挙すれば、次のようになる。

▼人間はヒポスタシス（実体）であるが、より正確には「時間と空間に置かれたヒポスタシス」と言うべきである。それゆえ〈持つ〉ことは、本来人間性の一要素となる。

▼人間にとって、存在することはすなわち、何かを〈持つ〉ことである。

▼しかし、その人間本来の所有とは〝私有〟のことではない。むしろ理想とするところは「共有」である。

▼目的はヒポスタシスの交わりである。物を〈持つ〉ことは、その目的に達する方法である。

▼〈持つ〉のは、人々を向上させるためである。

▼〈持つ〉ことは人を愛へ導く。利己主義的な道楽でなく、人格的欲求を満たすのである。

▼〈持つ〉ことはあくまでもサービスである。

▼〈持つ〉ことは人間に自由を与える。自由は愛の母胎である。

▼万物の霊長にとって〈持つ〉ことは、持ち物をその終局目的へ到達させることである。

▼〈持つ〉からこそ、与えることができるのである。

以上の思いは、「コリント人への手紙」を書いたパウロへの反論になっているだろうか。それとも〝屁理屈〟に過ぎないのか。本書を手にしているあなたのご意見を、ぜひ聴かせていただきたい。

パウロの弟子・遠藤周作

作品に信仰を表現した作家

1996年、遠藤周作は逝った。彼の文学を文学として云々するつもりはない。私は文学評論家ではない。ここでは彼の模範的な信仰を賛美したいと思う。

彼は小説を書き始めたときから、自分をカトリック作家と名乗った。昔、彼がフランスに留学していた頃、その抱負を彼の口から聞いたことがある。カトリック作家として日本文学の世界に突入するのは大胆な賭けとも言えた。しかし、遠藤はやったし、生涯その線から外れなかった。日本文学のテーマとして多い恋愛物語やセックスの話はほとんど書かなかった。どんな作品の中にも必ず自分の信仰を表現した。

その表現は場合によって直接的であり、場合によっては婉曲(えんきょく)な述べ方であった。『深い河』の「玉ねぎ」は婉曲叙法の好例である。キリストを信じることが何よりも重大な問題で、それこそが遠藤のメッセージであった。

キリストへの信仰は慣習や儀式で済むものではなく、人間に生きる目的を与えるものである。遠藤が、実際に使っていたかどうかは分からないが、「生き甲斐」という表現が最もよく当てはまると、私は思う。キリスト教の信仰はあくまでも、生き甲斐である。もちろん、遠藤自身にとってそうであったが、彼はその生き甲斐を読者に教えようとした。
　さらに今考えると、「真の生き甲斐」は同時に「真の死に甲斐」であることに思い至る。遠藤の作品の中には「死に甲斐」を描き出しているものが少なくない。キリスト教と聞くと、人は巨大な組織を思い浮かべるかもしれない。遠藤は教会という組織などについては語らない。ほかならぬキリストのみを伝えようとする。これは正しい立場である、キリスト教の核心はキリスト自身なのだから。キリストを愛しキリストに執着しなければ、キリスト教は空しいイデオロギーに終わってしまう。キリストに全てを投入するならば、信者の団体である教会の利点も欠点も寛大な眼で見ることができる。

自覚していた「自分の使命」

　さらに、現代の日本人にとっては、キリストを知るために「聖書のイエス」と出会うことが、唯一の道である。それが、遠藤にはよく分かっていた。遠藤の読者の圧倒的多数は、信者でない人たちである。別の言い方をすれば、彼は信者でない人々にキリストを宣べ伝えた。作家の宣教活動は珍しいことなのか。そうではない。
　信者の第一の使命は、キリストを宣べ伝えることである。現代社会において〝隠れキリシタン〟の信者は本物の信者であるとは言えない。本物の信者は自分の仕事、自分の身分、自分の才能と、自分が置かれたあらゆる場を通してキリストを宣べ伝える。

遠藤は物を書くのを業としていたので、書いた作品を通して宣教した。それは物書きとしてやり易い仕事だったと、人は言うかもしれない。しかし、物書きを業とする信者が皆、キリストを宣べ伝えているだろうか。小説家たちはフィクションの世界を創り出す。だが、キリストはフィクションではない。小説の中に、事実であるキリストを描き込むには努力が必要である。

遠藤がキリストを宣べ伝えたのは、彼が初めからそれを自己の使命と覚悟したからである。これはキリスト信者なら誰もが見倣うべきところである。キリストを宣べ伝えるのが困難だとか不可能だとか言う人は、宣教を覚悟していないのではなかろうか。

遠藤はすぐれた業績を成し遂げた。彼の作品を読んだ大勢の人々が、キリストに興味を抱くようになったし、彼の影響により洗礼を受けた人も少なくない。遠藤周作は30年間、日本でキリスト教を代表する人物と認められてきた。彼はまた、第一線の宣教師であった。彼の洗礼名はパウロである。その名のとおりパウロ・遠藤周作は、異邦人の使徒であったパウロの、模範的な弟子だったのである。

第3節

宣教を実践せよ

「君、信じなさい」という前に

キリスト自身を示す道を考える

現在、日本では、キリストを信じる人は人口の1％に過ぎない。この数字は事実である。だから、キリストを信じない残りの99％の人々に福音を宣べ伝えること――それが日本の教会の緊要な課題となる。

教会の担い手であるべき信者がこの課題に取り組むにあたってまず、「司牧」と「宣教」とをはっきりさせておきたい。司牧とは信者に対する働きかけであり、宣教の方は信者でない人に対する働きかけである、と区別することができる。すなわち、司牧は〈信者をより良い信者にするための働き〉であり、宣教は〈信者でない人をキリストに近づかせることを目的とした働き〉であって、両者は本来異なった活動である。

「司牧」と「宣教」

司牧の「場」は小教区である。上野教会とか立川教会とか○○教会とかいう〝地理上の単位教会〟が現実にあって「小教区」と呼ばれる。そういった小教区の網の総体が全教会を構成している。

小教区のモデルとしては、ヨーロッパの田舎の村の教会を上げることができる。「小教区」はラテン語のParochiaの訳であって、「近所」という意味である。村人は皆、信者であり聖堂の周りに住んでいる。役場の前に、数百年前に建てられた聖堂の尖った塔がひときわ聳え立っている——という風景を思い描けば、当たらずとも遠からず。尖塔は村の中心でもあり、またそのシンボルともなっている。村長がかつての領主に代わって村の物質的な面を司るが、村の精神的な支配者は小教区の主任司祭だ。誰も彼も信者なので、そこでは宣教する必要がない。主任司祭の下で司牧が行われるのである。このような小教区制度はヨーロッパの田舎でその機能を十分に果たした。日本でも、例えば長崎・五島の漁村ではうまくいっている。

ところが、そういったモデルを都市、特に日本の都市にそのまま移行しようとすると、いくつかの問題に突き当たる。まず、信者が既述のように1%と圧倒的に少ないし、その数少ない信者は広い地域内に散在している。また都市の特徴の一つは、それぞれの市民にとって〝住むところ〟と〝働くところ〟や〝遊ぶところ〟が離れていることである。その調整の役を果たすべく、交通機関が発達している。地理的な区域を区切られる小教区制度は、こういう事情にはそぐわない。地理的なつながりによって属する自分の教会より、交通の便利な教会に通う信者が当然多くなる。

この状態に適応させる一策として、日本の教会は民法上の「籍」の考え方を借用し、教会にも「籍」というものを設定した。それも結構だろう。が、籍という制度が機能するなら、地理上の区域にこだわる必要はなくなるのではないか。なるほど、日曜日の礼拝のために信者は集まる。そのための適切な場所が必要なこともよく分かる。しかし週に4、5時間しか一杯にならないような聖堂を建てるのは無駄ではないか。経済的な面から見ても、現代都市に見られる建築の合理性を考えても、週に6日間もガラ空きの聖堂をわざわざ建てるのは非現実的に過ぎないか（文字数の都合があるので、これについては問題を指摘するにとどめる）。

求心的に過ぎる〝小教区活動〟

もう一つの問題はもっと重大である。それは、今のところ小教区というものが現実には〝司牧の場〟であって「宣教の場」ではないという事実である。小教区は礼拝の場であるが、同時にそれは教会内での、あるいは教会中心の、さまざまな活動を催す場ともなっている。青年会、婦人会、聖歌隊、バザーの準備会などの諸活動はその例である。

こういったグループ活動を通して、小教区は家庭的な雰囲気を作り、親睦を図ろうとする。その良し悪しは別としても、小教区には宣教を目的とする会がない、という点に注目すべきである。小教区の司牧は、そこに全ての信者を集め、その活動をまとめようとする意図を帯びている。こういった司牧を、私は〝求心的な活動〟と看做(みな)す。

一方、宣教はあくまでも「遠心的な活動」である。「宣教する」とは、教会に来ない人のもとへ出かけていくことだ。宣教者は教会から派遣される者、宣教の第一歩は「出かける」ことである。

このように、小教区制度下における「司牧」と「宣教」はもともと齟齬(そご)を生んで当然のものである。では、宣教を緊要な課題とするとき、「小教区制度は不要であり、廃止すべきだ」という結論に達するのだろうか。必ずしもそうではない。キリスト教はグループによって生きる。共同で行う礼拝のために集まる必要があり、その礼拝の場所も要る。また、新しい信者を受け入れるために働くグループも存在しなければならない。そういった機能を果たす小教区は、そこにその存在理由を持つ。

さらに、小教区のメンバーである信者が、信者でない友人を教会へ導く例も多い。そのときは小教区が宣教の場にもなる（ただしその場合でも、『教会へ』という求心的な力が働いていることは変わらない）。

ある神父は、自分が主任司祭を務める小教区教会を嘆く、「家庭的どころか、まるでデパートみたいなものだ」と。なぜ嘆かなくてはならないのだろう。デパートみたいな教会であってなぜ悪いのか。多様な信者が集まる拠点、それこそが教会ではないか。いろいろな形の教会があっていい。デパートのような教会もいい。10人足らずの少人数が個人のマンションに集まる教会でもいい。

ヨーロッパの都市部では既に、所属する小教区に依拠する信者の〝帰巣本能〟は縮小しつつある。その気になれば小教区の外にも信仰を活かすことのできる〝場〟は多い。地域活動を繰り広げている修道院が信徒の手を借りている例も少なくないし、教会内に「小教区を超えた全国的な運動」があれば、それも信者の活動範囲を広げる。また、信者の親戚または友人にあたる神父が、小教区外信徒の相談相手の役割を果たすケースもある。

そのような環境に囲まれている信者は、〝地理的区域の中に聖堂があり、その小教区の信徒台帳に名前が載っている〟というタイプの教会組織の在り方に、いつまでもこだわる必要はない、と考えている。教会を教会たらしめるのは、場所でも建物でもなく、生身の人間である信者とキリストの繋がりなのだ。ならば、聖堂のない〝場〟であっても、そこで信者として活動できるならそれで結構、というわけである。

また、ある種の同一性を持った人々の集まり――例えば学生のグループや、同じ社会問題に関心を持つグループ――が新しいタイプの「小教区」になるのも当然のことだ。信者主体の小教区は、求心的な傾向に偏った現在の小教区制度を、宣教重視の方向へと変えさせることができるだろう。そのために、いろいろなタイプの小教区を創ることが推奨される。そして、そのように創り上げられる「従来とは別のタイプの小教区」をも、既成の小教区と同等に見ることが、全体の教会には求められている。「霊を消すこと勿れ」（1テサロニケ5－20）である。

宣教の場

前述したが、宣教とは、信者でない人のもとに信者が自ら赴き、そこでキリストを教え、できれば洗礼にまでその人を導くことである。したがって宣教の場は、キリスト教の看板を立てられていないところ、信者と信者でない人が等しく心通わせることのできるところでなければならない。

その意味で、ひところ、最も適切な場は学校であった。ここで学校というのは、幼稚園から大学までを含むミッション・スクールのことだ。「成人の洗礼のうち少なくとも70％が、学校を通して授けられる」という事実がある。幼稚園児が進んで洗礼を受けるわけではないが、その父母がキリストに出会って洗礼を受ける場合もある。高等学校で洗礼を受ける生徒はかなりの数に上る。この年代は人生の問題を考える時期にあたるので、キリスト教に近づきやすいのであろう。ミッション・スクールでも信者教師は少ないから、教員免許を持つ信者がミッション・スクールに誘われるのは当然だ。が、その結果として、公立の高等学校には信者教諭がほとんどいないことになる、そこもまたすばらしい宣教の場なのに。

ミッション・スクールは、信仰を持つか否かを問わずに生徒を入学させ、信者と信者でない生徒・学生に共通の場を設けている。そのため、教育本来の目的である人間形成の分野においてごく自然にキリスト教と繋がり、そして見事な成果を収めるのである。

宣教の場はむろん、ミッション・スクールに限らない。病院、老人ホーム、児童養護施設などの慈善事業も、すばらしい宣教の場となる。その他にもいろいろな「場」が考えられる。少年のために遊び場を作る、旅行や巡礼を計画する、スポーツクラブに参加する、趣味を同じくするグループに加わる——などなど、いくらでも例を挙げることができよう。

私が新宿で「エポペ」（フランス語で『美しい冒険』の意）という名のスナックバーを開いたのも、宣教の場を作るためだった。サラリーマンに会うためには何よりもまず、交通至便の場所を選ばなければならない。次に、『酒が入らないと本音を吐かない』という〝日本の大人の原則〟がある。

さらに経済的な面も無視するわけにはいかない。それらの条件を満たすものとして、スナックバーを開くという結論が浮かび上がったわけだ。開店してみると、80％は信者でない客であった。宣教の結果を顧みると、5年間に13人が洗礼を受けた。また、数には表われないが、店が人々の間で『友情の場』として機能したことも見逃がせない。なお、私が〝生徒に教えを垂れる先生〟のような態度を取らず、サービスにこれ務めるバーテンの態度に徹して客に接する方が、結果としては司祭のサービス精神をよりよく発揮することになったと私は思う。

司祭の役割・信徒の働き

さて、右に挙げた「宣教の場」はいずれも、宣教する信者にとって〝仕事場以外のところ〟である。それでは、「仕事の場」自体は宣教の場となり得るだろうか。この疑問に答えるためには、これまで以上に慎重な考察が必要だと思われる。

そもそも「宣教」が実現するためには、二重の動きが必要になる。一つには司祭が、教会内にとどまることなく、働く人々の真ン中に出て行かなければならない。またもう一つの動きとして、キリストの魅力を十分に知っている信徒は、それを同僚や友人に積極的に宣べ伝えなければならない。

まずは、司祭の役割を考えてみよう。司祭は当然のことながら神学を学んでおり、たいていは大学の神学部出身である。こういう特殊な背景を持つ者が、一般人とよく意思を通じ合えるだろうか。それははなはだ疑わしい。神学校で〝司牧のやり方〟は覚えたかもしれないが、私の知る限り、神学校で「宣教の仕方」は十分教えられていない。宣教の方法は、まず相手――例えばサラリーマン――の生き方、考え方、悩み、夢などを理解することから始まるはずだが、そういった科目は神学の中に組み込まれていない。

また、労働司祭や教職者など特殊な例を除き、大部分の司祭は〝普通の意味における職業〟に携わっていないので、一般の社会人と仕事について話し合うのは難しい。経済上の苦労を知らないから、家庭経済の話もピンと来ない。しかも独身なので、家庭を持つ一般社会人からますます隔たる。教養と判断力を駆使して〝もの〟は言えるにしても、司祭はそういった生活経験の裏付けに欠けるので、その言葉は説得力に乏しい。

この欠落点を補うため、宣教を志す司祭はどこかに就職することが望ましい。技師でも郵便局員でもセールスマンでも、もちろんバーテンダーでも結構だ。都会の住民の大部分はサラリーマンなので、司祭もサラリーマンになるのが自然というものである。できれば司祭になる前に、あるいは司祭になってからでも、サラリーマン生活に必要な資格を取得しておけば、宣教の役に立つ。

それは、いわゆる労働司祭に似たスタイルである。第二次世界大戦後にフランスで「労働司祭運動」が始まったのは、〈キリスト教と縁のない労働者に、キリストを紹介しよう〉という発想に基づく。同様に、キリストを知らないサラリーマンにキリストを宣べ伝えたいならば、司祭もサラリーマンにならなければならないのだ。サラリーマンとなった司祭であってこそ、彼らと共通の場に立つことによって初めて、「宣教の場」を持つのである。

『それをやるには、司祭の数が足りない』という声が出るかもしれないが、その反論はまったく成り立たない。司牧なら2000人の信者に対して1人の司祭がいれば十分であり、それは一般に認められ得る比率だろう。1000人の信者に対して1人以上の司祭がいる現状は、司祭が多すぎる。この割合を45万人という日本人信者数に当てはめると、司祭は210人で十分であり、420人を超えるなら司祭過剰と言わなければならない。ところが現在、日本には司祭がなんと、1900人もいるのである。

自分の信仰の核心を宣べ伝える

次に、信徒の問題に移ろう。信者である以上は誰でもある程度、キリスト教を知っている。しかし宣教するにはその知識を、キリストを宣べ伝えるにふさわしいレベルにまで引き上げなければならない。ところが実際には、一般信徒のキリスト教に関する知識は驚くほど低い。無数にある〝聖書研究会〟の水準を見れば、それはよく分かる。日本語で書かれた（あるいは邦訳の）優れた参考書が数多く出ているのに、それらはほとんど利用されない。

この嘆かわしい現状を一々あげつらうより、〈仕事に対してあれほど熱心なサラリーマンが、キリスト教の勉強についてはなぜこれほど無関心であるのか〉を考えたほうがいい。それはまず、「教会の側で行われるキリスト教の勉強が〝司牧の範囲を超えない〟ので、一般信徒にとっては宣教の動機となりにくい」という事情が考えられる。あるいはまた、信徒が信仰に関することを全て司祭に任せ、漫然とした態度を改めないため、「宣教」に思い至らないのかもしれない。もしそうであるなら、信者は自分が「教会の全責任を負う一人前の正会員」であること、そして「司祭はその僕（しもべ）に過ぎない」ことをもう一度思い返し、肝に銘じなければなるまい。

宣教という動機を持ってキリスト教を勉強することは、取りも直さず〈信者でない人にキリスト教をどう説明するかを身につけること〉である。換言すれば〈キリスト教の核心を宣べ伝えること〉に他ならない。三位一体、原罪、懺悔といった言葉が、信者でない人の口を衝（つ）いて出るかもしれない。それらについて簡単に説明できるくらいの知識は当然必要だ。ただし、それが決して中心ではないことを断わっておきたい。キリスト教の核心はキリスト自身の他にあり得ない。したがって宣教にとって肝要なのは、〈キリスト像をしっかりと持ち、それを人に示すこと〉である。

なお、信者でない人から『キリストを信じることに、どういうメリットがあるのか』と問われることもあるだろう。それに対して「善」「来世」「救い」といった観念を使って答えることもできる。しかし「キリストは真の生き甲斐をもたらす」という答えに優（まさ）るものはない。日本人の中に『何のために生きるか』という問題を一度も考えたことのない人は、おそらくいないだろうからだ。

「キリストは本当に実存する」ということを証明してみせるわけにはもちろんいかない。信じることは恵みだからである。さらに宣教は、「私はキリストを信じる」という信仰告白に留まるべきではない。「××さん、信じなさい」というところまで進むべきである。『キリスト教は良いものである』と一般に認められている以上、〝キリスト教の良さ〟の宣伝にうつつを抜かす必要はない。評判が良いにもかかわらず人は踏み切れないでいるのだ。やはりマン・ツー・マンで「君、信じなさい」と言うべきなのである。

ちなみに「宣教者の手引」といった教科書めいたものは、今のところ、なさそうだ。誰かが作ったらいいと思う。

宣教の障碍（しょうがい）はどこにあるか

半世紀以上も前、ある宣教師は「日本におけるカトリック教会」を『箱庭』に例えた。その箱庭にはキリスト教の全てが入っている。16もの司教区があり、93の女子修道会があり、「カトリック弁護士会」から「山谷友の会」に至るまで、まさに無数の信徒活動がある。しかも、その全てが見事に整っている。ただ、どれもこれもあまりに小型である。『箱庭』の指摘から半世紀経っても、カトリック教会はほとんど変わらず、依然として「箱庭」である。

いったい、キリスト教はどうして伸びないのだろうか。現代の日本では「信仰の自由」が憲法に保障され、完全に保たれている。しかもそんな環境の中にあって、キリスト教はかなり尊重されている。信者であることが出世を妨げることはほとんど考えられない。信仰を持つ著名な作家や学者も少なくない。教会の中を見れば立派な司祭や信者が大勢いる。それでもキリスト教が発展しないのはなぜか。

キリスト教は、カトリックとプロテスタントに分かれている。この事実は、信者でない人々の目に疑問と映るかもしれないが、それがキリスト教発展の大きな障碍になっていると私は思わない。ちなみに、エキュメニズムのすばらしい業績の一つをここで記しておきたい。それは共同訳聖書の実現である。この邦訳版はそれ以前の翻訳版をはるかに凌駕し、みごとな出来映えと言うほかない。

結論を急ごう。キリスト教の発展を妨げる第一の障碍は、あの〝日本教〟にある、と私は考える。周知のとおり、これは山本七平氏の造語である。が、〝日本教〟という語を生んだその著作『日本人とユダヤ人』（イザヤ・ベンダサンの著として刊行されたが、後に山本七平氏の筆名であることが明かされた）については、その後、いくつもの鋭い批判が出た。それらの批判の細部には正しさを認め得るが、何と言っても「日本教」という表現自体は、今もなお「示唆に富む診断」として評価されるべきだろう。

人間は人間である以上、「絶対」そのものに憧れている。日本人とて例外ではない。が、現代日本人が憧れる「絶対」とは果たして何であろうか。それは「日本そのもの」なのだ。それが、山本氏の言う「日本教」の内実である。

『日本そのものが絶対だ』という主張において、『日本』は抽象的な存在である。それを完璧に表わす具体的なリアリティーはない。しかし〝絶対とされる日本〟への信仰――つまり「日本教」

——は、日本人の日常生活を貫いている。例えば、多くの日本人は会社のため勤勉に働くが、その勤勉さの奥には、「日本」への奉仕精神が働いている。

キリスト教は、その普遍性を棄てるわけにはいかないので、「日本教」を受け入れることはできない。確かに、日本の風土に適応させるべきところは多々あるし、日本化されたキリスト教が生まれるべきではあろう。しかしはっきりと言っておくが、「絶対」そのものを求めるなら、それは「キリストのみ」なのである。

日本人の真骨頂

信徒再発見の日

1865年3月17日のこと、長崎の大浦天主堂で不思議な出来事が起こった。その6年前まで、幕府の命令によってキリスト教を信じることや宣教することは固く禁じられていた。1859年の国際条約によって、まず外国人のために教会堂を建てることは許された。しかし幕府は、日本人にはそれを見物することしか許さなかった。また宣教師は、日本語で説教することを禁じられていた。

そういう状況下で、1862年にプティジャンという宣教師が長崎に到着し、すぐに大浦天主堂の建設に取りかかった。そして1865年2月19日、その竣工式が挙行された。それを見物に来る日本人の数もぽつぽつと増え始めた。

不思議な出来事が起こったのはそれから１ヵ月も経たないうちである。３月17日の昼過ぎ、大浦天主堂の閉ざされた門の前に15人の人々が佇んでいた。それを目にしたプティジャン神父は、『どうも、いつもの見物人とは少々違う人たちのようだ』と思いながら門を開き、彼らを天主堂内陣へ招じ入れた。堂内に入った彼らは、主祭壇とそこに置かれたキリスト像、それに、脇の小聖堂にあるマリア像を静かに眺めていたが、やがて40代の一人の女性がプティジャン神父のもとに歩み寄ってこう囁いた、「私どもは皆、あなた様と同じ心でございます」――キリシタンの子孫発見の歴史的瞬間であった。

その日やって来た人々は浦上地区の信者だったが、その後には長崎市内で、五島で、平戸で、大勢の信者が見出された。現在も長崎県内のカトリック信者の半数はキリシタンの子孫であろうと私は推測する。

日本の歴史に目を転じてみよう。16世紀の終わり頃、日本でもキリスト教は隆盛を極めたが、１５８７年に豊臣秀吉が「バテレン追放令」を、またその後１６１２年には徳川秀忠がキリシタン禁教令を発出し、１６４０年には神父が１人もいなくなってしまった。それから２５０年間にわたり、幕府はキリシタンに対する迫害の手を緩めなかった。信徒が見つかれば彼は極刑を免れず、殉教者が後を絶たなかった。島原の乱を別にしても、その数は２万人を下らないだろう。幕府の処刑は残酷そのものであった。磔刑あり、火炙りあり、温泉地獄への投げ入れも行われた。

そのような迫害にもめげずキリシタンのグループは、どの地方教会からも隔離され、また一人の神父に接することもなしに、実に２５０年間にもわたって信仰を守ってきたのだった。この史実には感嘆する他はない。目頭が熱くなるほどだ。東西のキリスト教史を紐解いても、これに匹敵する事実はまったく見られない。

もちろん、そういった状況下にあっては、自らの信仰をひた隠しにしないでは生きられなかった。そこでキリシタンたちはいわゆる〝秘密結社〟を組織している。グループへの奉仕者のうち「張の方」という役目はリーダーに相当する。「水の方」と呼ばれる信徒は洗礼を授ける役割を担った。

ここで、ちょっと面白い点に気づく。このような信者組織が結成されなかったら、おそらく信仰を守ることはできなかっただろう。が、信者の組織は迫害が起こったから出来たのではない。迫害以前から、神父が少なかったため信者同士が力を寄せ合い、〈神父なしに信仰を守る〉ことに慣れていた。換言すれば、キリシタンが２５０年にもわたって信仰を守るためには、初めから神父の数が少なかったという事実が効いている。この事実をよく考えてみるべきだろう。もちろん、キリシタンの中には迫害に耐えかねて〝ころんだ人〟も少なくはなかった。しかし、結局は大勢が信仰を守ったのだ。

それを可能にしたのは、キリストを絶対的な存在と信じる確信であった。彼らの多くは、たとえ生命を奪われても、決してキリストを棄てようとはしなかった。キリシタンのこのすばらしい功績は何に例えようもない。それは彼らの不屈の魂が勝ち取った「確固たる信仰」の勝利そのものだと言えよう。

「日本人は宗教心が薄い」という声をたびたび耳にする。それはどういう意味なのだろうか。その場合の「宗教心」とは何を指すのか。『仏教的な心の持ち方』か、それとも「キリストへの信仰」か。前述のように、この両者は区別すべきであり、等しく宗教心として扱うわけにはいかない。

もう一つ、「日本人」とはこの場合、現代人に限るのか、それとも昔の日本人を含むのか。いずれにしろ、私には「日本人は宗教心が薄い」という評価の意味が分からず、どうにも理解に苦しむ。そして、私は今、あのキリシタンたちの類いまれな強さに打たれている。あれこそが「宗教心」ではないのか。

「宣教する」

——月刊誌『カトリック生活』対談「ネラン神父の談話室」から
聞き手／同誌編集部・金沢康子

——「心の癒し」ということがよく言われますが、それだけでは宣教にならないのでしょうか。やはり信じるところまで導くことが必要なのですか。

ネラン　私の場合、宣教はもっぱらサラリーマンを対象に考えていました。それは、私の宣教の場である東京の住民の大多数がサラリーマンだから。〝マン〟といっても、もちろん男女を問いません。

でも、疲れたサラリーマンが集まって気持ちよくなって帰っていくというだけでは、やはり違うわけですよ。教会に集まって気持ちが柔らかくなって……　それだけだと趣味の集いや飲み会と同じになってしまいます。一つの活動として悪いとは思いませんが、宣教という意味ではないでしょう。

宣教の中心は、本当は信徒なのだと思います。外から専門家が説教するより、一緒に生きている同僚のことばのほうが素直に心に響きます。だから宣教しようと思うと、その社会の中に入らなければならないでしょう。キリスト教は生き甲斐を与える宗教です。病からも苦労からも人を助けることはできませんし、厭世(えんせい)としての逃れ場でもありません。キリスト教の説くアガペーはエゴイズムの正反対で、人のために生きるということなのです。

宣教で大切なことは、自分の信仰をあらゆるところで宣言する、信者でない人にキリストを宣べ伝えることです。〝いいこと〟を話したり、人を礼拝堂や講演会に誘ったりすることとは違います。だから敢えて世の中で言われているタブー（政治や宗教について語らないほうがいい）を打ち破ってもいいと思います。相手の生き甲斐を聞いたり、自分の信仰を表明したりする。宣教とは「折りが良くても悪くても（二テモテ４－２）」キリストを宣べ伝えるものなのではないでしょうか。

そこで遠藤周作のメッセージが思い出されます。彼が日本人に伝えようとしたのは、キリストを信じることは何かの趣味のようなものではなく、重大な問題であり、死をも辞さない決定的態度であるということなのです。

——外に対して宣教することが日本人は苦手なのかもしれません。それよりも自分自身の問題解決を教会に求める信徒が多いのが現実ではないでしょうか。

ネラン　いつも信徒は自分の悩みを神父のところに持って来ます。家庭のこと、子育てのこと……神父に助けを求めるけれど、神父には答えられません。残念ですが、独身の神父には正直な話、全然分からないのです。そこで混乱が生じると、神父と信徒だって人間関係が崩れてしまうかもしれません。

でもほとんどの場合、相談に来る信徒さんだって、自分の心はすでに決まっているのではないでしょうか。神父が賛成してくれるかどうかが問題なのであって、自分の中の結論は出ているはずです。それに、現代人が神父の言葉によって決断する、ということはあまり考えられないな。

それから、信徒同士だって、グループとして教会に集まっている以上、衝突することもあり得ます。集まることを目的として人が集まれば、人間的な感情がでてくるでしょう。仲良しグループでは必ずもめごとが始まります。すると、『教会はおかしい』と抜け出ていく人がいる。宣教しないからそういうことになる、それは自然な結果です。

今の教会は、目的がないまま人が集まっているだけになっていませんか。本当は日曜日のミサに来て、「この一週間、私はこういう宣教をしましたよ」と言えるのが教会であって、教会に集まって、教会で何かをしようというのは違うように思うのです。

神父も信徒の皆さんも、「教会は忙しい」と言っている。しかし、本当にやらなければならないことで忙しいのでしょうか。現状、いちばん忙しい仕事は、会議をやって紙を使うこと。紙を使って議事録をつくり、会議で疲れて、教会自体は何も変わらない。これは残念ながら日本だけではないですけれど、確かに日本では会議が多いですよ。

信徒の義務は宣教することなのです。教会の維持と運営、教会の中のことばかりやっていると、なかなか外に向かっていかない。これは小教区の一番の問題です。教会内の親睦を図る？　それは非キリスト教的努力でしょう。

今、神父の数が減っていると言われています。本当にそうだとしたら、どうすればいいと思いますか。一つは召命（しょうめい）を増やすこと。たとえば、「既婚者も神父になってもいい」とする。それから教会の数を減らす。しかし、もう一つの方法がありますね。信徒を増やさない。これはある意味で有効な方法かもしれません。でもそれでは、消極的にまとまって、そのうちにしぼんでいってしまいます。だから私は、「小教区や教区にとらわれないで宣教しよう」と言いたいのです。教会が外に向かって元気になること――　これこそ、一番積極的な解決方法につながるのではないですか。

私はちょっと厳しいことを言うので言い過ぎだといわれますが、もう歳だからね。日本では何を言うかということよりも、誰がそれを言ったかということのほうが大切です。私は歳取った神父ですから、何を言っても大丈夫、ではないですか。

宣教は信徒の務めである

あらためて「宣教」を定義する

「宣教」と「司牧」を区別せよ

前節でも述べたことだが、念には念を入れて、「宣教」の定義をしておきたい。まず、「宣教」は「司牧」と区別されなければならない。司牧の対象は信者の群れであり、宣教の対象はそれ以外の大多数――信者でない人――である。その区別は明瞭であり、決定的である。

ところが、日本の教会では〝宣教司牧〟という言い方をしている。宣教司牧の実情を司祭が認識しているかどうかは分からないが、この言い方そのものが間違いだと言いたい。〝宣教司牧〟という言葉を受け入れると、宣教は事実上、置き去りにされてしまう。つまり、宣教は司牧よりもはるかに困難であるから、宣教司牧は司牧になってしまうのだ。

戦後の一時期、成功した宣教

過去を辿(たど)ってみると、戦後、日本ではキリスト教が一時的に発展した。これは教会が教育という分野で果たした大きな成果だと思う。戦後すぐにＧＨＱ（連合国軍最高司令官総司令部）は、「戦前の皇国史観による国家主義的な教育が戦争を引き起こした原因の一つである」と断定し、日本の学校教育の改革を行った。その結果、日本の公教育は混乱を極めた。

その間隙を突いて多くの修道会が修道士や修道女を外国から日本に招き入れ、「カトリック教育」の看板を掲げて幼稚園、小・中・高校・大学を開設し、間接的にキリスト教を浸透させていった。学校に通っている間に洗礼を受けた生徒・学生の数はかなりのものになるだろう。だが、その後をフォローすべき教会の対応は終始、宣教でなく司牧偏重であった。その司牧も魅力がなかったのだろう、社会に出てから教会に行かなくなった人たちの数は少なくない。

それはともかく、学校教育を通して社会に「カトリック教会」の存在を知らしめたという点で、宣教は成功したと言ってよい。ところが一方で戦後数十年、日本の公教育もまた高度経済成長の原動力となり、世界に誇るべき成果を上げた。その結果、カトリック教育は公教育が推進する受験教育の単なる〝下請け機関〟になってしまった。だから現在では、カトリック教育とは何を意味するのか簡単に説明できないほど、キリスト教とは無縁の存在になりつつある。今なおカトリック学校のただ一つの特色と言えるのは、授業に宗教教育の時間があることだが、修道者の高齢化や信徒教師の減少も相俟って、その宗教教育は形骸化しているケースが多い。

受験のための進学校として成果を上げているところは別として、カトリック学校に生徒が集まらなくなっている状況を嘆く人は多い。しかし私はそれを嘆くより、過去30～40年の間、カトリック学校が日本で成果を上げたことに満足すべきではないか、と考える。カトリック学校に存在意味がなくなってきたのなら、潔く撤退しても構わない。公教育に任せて、教会は学校教育から手を引くべきだと思う。

ある時代（特に日本では戦後の一時期）、『教師が信じているから、生徒もキリスト教を信じる』という風潮があった。当時の学校といえば〈過去、現在、未来のあらゆる情報が集まる場〉であり、教師は〈その情報を伝える大きな力を持ち、尊敬される存在だった〉からだ。しかし今はそうではない。学校以外に『情報を発信する場と手段』が無限に拡大し、〝上からの管理や統制〟を試みても手に負えないなど、さまざまな事情から、教師が子どもたちに与える影響力が薄くなってきたためでもある。これは日本に限らず、ヨーロッパでも同じ傾向にある。信仰の問題は先生の魅力に依存するのではなく〈自分で決める事柄〉になったのだ。これは非常に大きな変化と言うべきだろう。いずれにせよ、ミッション・スクールによる宣教時代は終わったのである。

時代とともに変遷する制度や役割

過去の歴史を直視すると、教会の中にいろいろなものが現われては消えていく、その繰り返しである。一例として「助祭」は、現代では『司祭を補助する役割』と位置づけられている。しかし五世紀頃のローマでは、助祭は『次の司教になる候補』、つまり司祭を飛び越えて司教に選ばれる重要ポストだった。ところが時代とともに助祭から司祭になる者が増え、やがて数世紀後には助祭本来の役割が廃れ、司祭になるための一段階に過ぎなくなってしまった。そして第二バチカン公会議では、改めて（終身）助祭制度が再興されたのである。

福音書には〈どんな時代にあっても変わらず伝えていかなければならないキリストの姿、キリスト教の真髄〉が記されている。しかし教会という巨大な組織を維持するための制度や儀式、役割などは、時代とともに変遷してきたし、変わっていく必要がある。過去の決定、しきたりなどを金科玉条のように捉え、頑なに現状を維持することに固執していると、組織は形骸化して腐敗が進み、衰退していくだけである。

福音書に示されている「宣教命令」

本稿は「宣教神学」に帰する論文ではない。だが宣教の基礎については、志ある成人信徒を対象として繰り返し述べなければならないと思う。そのためにマタイとヨハネの二福音書を引用したい。

マタイ福音書を読むと、「宣教こそ、キリストが私たちに求めたことだ」と分かる。マタイは「見よ、おとめが身ごもって、男の子を産む。その名はインマヌエルと呼ばれる。」と書き起こす。続けて「この名は、『神は我々と共におられる』という意味である」（1－23）と、キリストが常に私たちと共にいることを強調した上で、福音の終わりをこう締めくくっている。

「さて、十一人の弟子たちはガリラヤに行き、イエスが指示しておかれた山に登った。そして、イエスに会い、ひれ伏した。しかし、疑う者もいた。イエスは、近寄って来て言われた。『わたしは天と地の一切の権能を授かっている。だから、あなたがたは行って、全ての民を私の弟子にしなさい。彼らに父と子と聖霊の名によって洗礼を授け、あなたがたに命じておいたことを全て守るように教えなさい。わたしは世の終わりまで、いつもあなたがたと共にいる』」（28－16～20）

マタイ1章と28章に据えられた二つの文章を読めば、マタイがはじめから宣教を意識して福音書を記しているのは明らかである。特に、復活したキリストの臨在を強調するため、冒頭に用いた「インマヌエル」という言葉を、結びでは「わたしは世の終わりまで、いつもあなたがたと共にいる」という形で再び記している。つまりマタイは、同じ意味の二つの言葉を最初と最後にもってくることによって生じる文学的な共鳴、響き合いの効果を狙ったのだと思われる。

宣教の担い手は司祭でなく信徒である

このマタイの宣教命令が「弟子」に向けられていることは言うまでもない。そしてその「弟子」とは、十二人の直弟子に限らない。マタイは「弟子」という言葉に、〈『信徒一般を指している』と読みとってほしい〉という思いを込めている。第10章を読めば、それは明らかである。同章は、イエスが十二人を使徒に任命している場面だが、巡回説教師の宿泊の仕方（10－11～14）、迫害への対処の仕方（10－16～23）についても語っている。それは十二使徒のみならず、マタイの時代（西暦80年頃）の信徒一般に当てはまる問題だった。

続いて、ヨハネ福音書の一節を引用しよう。新共同訳の日本語版『新約聖書』は、ヨハネ17章18節を「わたしを世にお遣わしになったように、わたしも彼らを世に遣わしました」と訳している。

しかしこの部分は、原文のkathosの原因的な味を生かして「父よ、私をこの世にお遣わしになったのだから、私も彼らをこの世に遣わします」と訳したほうがいい。この短い一言で、ヨハネが「なぜ信者は宣教しなければならないか」という宣教の根拠となる意義、つまり〈弟子の派遣は神がイエスをこの世に遣わしたと同じくらい大切な神秘であり、結局、宣教はイエスの派遣に信者が参加することだ〉と説いていることが分かる。

宣教とは行動すること

さらに、マタイ福音書を読むと、「宣教は行動することである」と訴えていることは明らかである。うまくいくだろうか、失敗したらどうしようか、といったことにあれこれ悩んだりせず、とにかく当たって砕けろ、外に出て人とかかわってみなさい、と促しているのだ。

しかし残念なことに、現代日本の小教区教会の大多数が行っていることは〝司牧〟に止まっていて、その実情はマタイの言う「宣教活動」にはほど遠い。なぜなら司牧が「求心的活動」であるのに対し、宣教はあくまでも外に向かう「遠心的な活動」だからである。例えば小教区に集う信者たちは親睦を図る機会を多く持ちたがる。〝親睦〟は非常に求心的な活動であって、信者の人たちが集いの対象であり、イエスを知りたい人や心ひそかに『信者になりたい』と思う人たちのことは念頭にない。

実際、主任司祭が取り仕切る小教区教会は従来、ミサを中心に据えて愛を説き、病人の世話をしたり、子どもに公教要理を教えたり、洗礼式や結婚式、葬式などの儀式を中心として、小教区の組織を存続させることに精力を費やしてきた。

しかし、これらを「宣教活動」とは言わない。宣教のために教会がすべきことは、身内の人々が集まって儀式を滞りなく執り行うことよりも、信者でない人々に対してキリストの生き方や、その「現代に生きる姿」を宣べ伝えることだ。

そうした宣教の例は、どの地方教会における小教区活動の過去の歴史にも、ほとんどない。一時期、パリの近くに「宣教小教区」（Paroisse Missionnaire）が出現したが、長続きしなかった。

信徒の病気は〝司祭依存症〟

なぜ、そのような状態に留まっているのだろうか。私が強調したいのは、〈宣教は小教区教会がすることではなく、一人ひとりの信者自身が自分の住んでいる地域、働く職場などで取り組む課題である〉ということだ。

カトリック東京教区の晴佐久昌英神父は普段、宣教を「福音宣言」という言葉で表現している。教えることは難しいが、宣言なら誰でも実行可能である。

ところが残念なことに日本では、一人ひとりの信者が自分の地域や職場で宣教活動を展開している実行例は皆無に近い。司教団をはじめとする日本の教会そのものが、過去にそのような宣教活動の必要性を考えたこともなかったし、そうした提案が信者側から出されたこともない。

第二バチカン公会議の後、日本では「信徒使徒職」という言葉が頻繁に使われ始め、「教会の中では司教、司祭だけでなく、信徒にも宣教活動を担う役割・責任がある」という発想のもとに、全国規模の大会が開かれたことがあった。しかし、いつの間にか立ち消えになってしまった。その原因は、〈宣教こそ信徒一般に課せられている課題であり、役割である〉という「信徒の使命」が強調されてこなかったことにある。

それに加えて、日本の信者の大半が〝司祭依存症〟という病気にかかっているからだ、と私は思っている。信者の大半は日曜日に教会に行ってミサに与り、司祭のご機嫌を窺って二言、三言の会話をしただけで、家路についている。司祭の命令や指示がなければ、何もしない。たとえ教会役員になっても、司祭の目の色を窺い、司祭の機嫌を損なわないように行動して『それで事足れり』とする姿勢だ。

ましてや、「司祭に関係なく、自分自身で身近な人に宣教しよう」という発想を持ったり、考えたりしたこともない信者が大半だと思う。それは私に言わせるなら「〝司祭依存症〟という名の病気」である。

司祭は結婚していないし、家庭も子どもも持たない。会社や工場に勤める身でもないため、人々の抱える生活感覚を実感できていない。そうした社会の現実を知らない司祭に依存してしまうから、日本の教会は社会の現実を直視することができず、人々の悩みや苦しみに対応し発言する力を持たず、「地の塩」的な存在になり得ていない。それは「司祭依存症」の当然の帰結だろう。

「司祭が指示・命令する」は間違い

福音書には、教会における「組織憲章」ともいうべき基礎・基本が、明確に記されている。「そこで、イエスは一同を呼び寄せて言われた。『あなたがたも知っているように、異邦人の間では支配者たちが民を支配し、えらい人たちが権力を振るっている。しかし、あなたがたの間では、そうであってはならない。あなたがたの中で偉くなりたい者は、皆に仕える者になり、いちばん上になりたい者は、皆の僕（しもべ）になりなさい』」（マタイ20－25～27）

「だが、あなたがたは『先生』と呼ばれてはならない。あなたがたの師は一人だけで、あとは皆兄弟なのだ。また、地上のものを『父』と呼んではならない。あなたがたの父は天の父おひとりだけだ。『教師』と呼ばれてもいけない。あなたがたの教師はキリスト一人だけである。あなたがたのうちでいちばん偉い人は、仕える者になりなさい」（同23－8～11）

この福音は、司祭が権威によって信者に何かを指示・命令したり、コントロールしたりするのは間違いであること、また〝司祭に権威があるから信者は何でも従わなければならない〟と言うように、司祭に依存的になる必要はないことを説いている。

教会に集まる信者の共同体は『法律的な団体』などでなく、「キリストの下に集う兄弟姉妹」の集まりである。ミサなどの務めをする司祭は世話役であり、兄弟たちのためにサービスをする僕（しもべ）である、という受け止め方をしてほしいと思う。司祭依存症から脱しない限り、信者が教会の外に向かって宣教活動を展開することは難しい。

よって、宣教しなさい

「真の生き甲斐」をあなたの背中で示せ

宣教はマン・ツー・マンで

宣教では、身近な人同士がマン・ツー・マンで話し合うことが決め手となる。つまり宣教の役割を担うのは司祭館に籠（こも）る司祭ではなく、信徒その人なのだ。サラリーマンにキリストの姿を伝えるのはサラリーマンでなければならない。学生は学生に、主婦は主婦にキリストの姿を伝えていく役割があると考えてほしい。

信者が、小教区ではなく自分の地域・職場などで人々と関わることが宣教であり、まだキリストの魅力を知らない人々に大きな影響を与えることになるのだ。

小教区のミサで平和のために祈ったりする。それも大切なことだが、平和のため本当に何かをしようとするつもりなら、例えば自分の街で出会う外国人と一緒に食事をしたり、日本語を教えたりする場を作るなどして友だちになることだ。初めて日本を訪れた外国人が、日本の街で見知らぬ人から声をかけられ歓迎されるなら、自国に帰っても日本の悪口を言うことはないはずだ。そうした行動が平和のために役立つし、場合によっては宣教活動のきっかけになり得る。

自分たちのグループをつくる

ところで、「宣教しようと思う信徒は自分たちのグループをつくることが必要だ」と私は思っている。その理由は二つある。まず、自分の宣教経験と他の信徒のそれとを比べたり、互いに検討したりすることができるし、また兄弟として助け合うことも、当然ながら容易となる。

もう一つの理由を明かそう。「現代日本で、どのようにしたら人をキリスト教へ導くことができるか」という問題は、私の知る限り、誰も研究しないテーマだ。『キリスト教入門書』の類いはいくらでもあるが、それ以前の問題として、〈どのようにしたら信者でない人の心にキリストへのあこがれを引き起こすことができるか〉を、誰も語らない。

「宣教する信徒のグループ」が存在するなら、まだキリストを知らない人を信仰に導く上で手引きとなる有益な組織となる。言うまでもなく、そのグループの信者たちは互いに異なった小教区に所属していることが望ましい。超小教区的な集いや信仰実践共同体を敬遠する向きには、教会法第321条が、「信者が自由にグループや組織をつくることは自由である」と書かれていることを知ってほしい。宣教意識の乏しい小教区司祭の顔色を窺う必要などはないのである。

宣教手段として「救い」を語るな

次に大きな問題は、「宣教活動で何をするか」である。信者でない人と、何を話し合ったらよいのだろうか。ひと言アドバイスを許されるなら、「キリスト教は『救い』だ」という言い方をしないほうがよい。信者に「あなたは救われましたか」とか「何の危機から救われたのですか」と尋ねてみるとよい、訊かれた方は内心、『そんな〝救い〟ではない』と思うに決まっている。〝救い〟という言葉には、大きな誤解を生む危険が潜んでいるのである。

しかし宣教を志す人々の中には、『救いを説きたい』と思い込んでいる人もいて、それが誤解を生む。考えてみよう、一口に「キリスト教は『救い』をもたらす」と言われているが、少なくともガンなどさまざまな病気から直截に救われることはない。また貧困からも救われない。理不尽な暴行や戦乱の恐怖からも救われない……　これまでの教会が安易に使ってきた〝救い〟とはいったいどういう意味なのか。考えれば結局、「教会は『罪そのものから救われる』と言いたいのだ」と思い当たる。ところが一般の人々は〝罪〟を認めないから、救いの話には説得力がないのだ。

時代によって、人々の関心や求めているものは違う。例えばキリストが生まれた時代、ローマ帝国内で抑圧されていた人たちは、圧制からの救いを求めていたかもしれない。しかし現代人が――政治的、経済的困難はあるにせよ――それと同じ種類の救い求めていると私は思わない。

実は「救い」という言葉は、マルコとマタイの福音書には一度も出てこない。ルカ福音書に4回、ヨハネ福音書にも1回出てくるだけである。しかし、パウロはその書簡の中で20回も「救い」という言葉を使っている。このことが、〈「救い」は神学的な概念である〉ことを示す。「救い主」という言葉もほとんど聖書には出てこない。しかし「救われる」という動詞はかなりの頻度で出てくる。マルコとマタイの福音書はそれぞれ13回。これらの「救われる」は、「治る」

という意味で使われている。

福音書で「救われる」という言葉がキリスト教的な意味で使われているのは1回だけ、マルコ福音書の10章26節である。「『子たちよ、神の国に入るのは、なんと難しいことか。金持ちが神の国に入るよりも、らくだが針の穴を通るほうがまだ易しい。弟子たちはますます驚いて、『それでは、だれが救われるのだろうか』と互いに言った」(10－24～26)。

この場面で「救われる」という言葉が使われているが、「何から救われるか」という説明をマルコは書いていない。パウロの書簡ではかなり出てくるが、重要な言葉ではない。パウロは、旧約時代の背景説明としてこの言葉をたびたび用いているだけである。

それでもヨーロッパで「救い」という概念は〈キリスト教がもたらした賜物〉と受け止められている。それは消極的な概念である「救い」の中に、積極的な「恵み」という概念が盛り込まれたからである。

そもそも救いという概念は、旧約聖書からの発想である。「病気から救われる」「イスラエルは外国勢力から救われる」と旧約聖書は記す。だが新約聖書でイエス自身は、「救い」という言葉を使っていない。私たちが宣教するのにあたっては、このことを十分念頭に置く必要がある。

「宗教」についての話し合いは不毛

宣教の際のもう一つの話題として〝キリスト教が「宗教」であることについて説明する必要〟

の有無が考えられる。しかし宣教する上で宗教に関する話し合いは不毛だと私は思う。私が熱心な仏教徒に会ったのは、50年以上日本にいて、２人しかいない。ということは熱心なお坊さんは別にして、一般の人々にとって宗教は〝単なる儀式である〟という受け止め方しかされていないことを意味する。

儀式は儀式に過ぎないから、人々は儀式として維持する。この点についておもしろい話がある。ローマ帝国で最初に教会が出合った問題だ。当時のローマ人は、『祭りには宗教的な色彩があるが、儀式は儀式、祭りは祭りであって、自分の信仰とは関係ない』という態度をとっていた。その考え方は、今の日本の人々と非常によく似ている。ところがローマ人の中でキリストを信じる人たちは、「社会的な行事である祭りに参加することは、自分たちの信仰を否定することになる」と考えた。だから「祭りに参加してください」と言われても、信者たちは「自分の信仰の問題だから」と参加しなかった。今、日本の信者たちがとっている態度はどうだろうか。

宣教は「生き甲斐」の問い掛けから

一般の信者が宣教活動をする際、何をテーマに話をしたらよいのだろう。私は「生き甲斐について問いかけること」だと考える。なぜか。〝宗教〟や〝救い〟の話ではなく「生き甲斐」の話をすると、人々は興味を示し、話に乗ってくる。生き甲斐と言えば趣味も入るし人生の生き方も入り、話の範囲はぐんと広がり深まる。重要なのは「あなたにとっての生き甲斐は何ですか」と聞くことだ。生き甲斐は何かと尋ねられると、聞かれた人は『自分にとっての生き甲斐は何だろう』と、自分のこれまでの人生を振り返り、真剣に答えようとする。

「生き甲斐」は人によって千差万別である。かつてイザヤ・ベンダサン（前出のように、山本七平の筆名）が『日本人とユダヤ人』という本の中で書いていたが、多くの日本人にとって生き甲斐は、自分のことよりも家族の幸せであり、国家や会社の繁栄を挙げる人も多い。仕事の成功や出世を生き甲斐にしている人もあるだろう。ならば、不況の中で会社が潰れたらどうなるかという話に広げたとき、その人の生き甲斐はどうなるだろうか。家族が生き甲斐だという人がいるなら、夫や妻や子どもが抱える問題について、生き甲斐との関連で話が深まることになる。絵を描くことに生き甲斐を見出している人と向き合えば、「美についてどう考えるか」といった話になるかもしれない。そこから「真」「善」「美」といった価値観について語り合うことができるだろう。宣教者が向かい合っている相手が「それらは神の賜物である」と理解することは、決して無理な展開ではないはずだ。

信仰は強制ではない

右に、宣教しようと思うなら相手が何を生き甲斐としているかを聞いてみることだ、と私は言った。ただし、あくまでも問うだけだ。もちろん相手から答えが出れば、その答えを聴く。珠玉のようにその答えを受け取ることが求められる。生き甲斐について積極的に語ってくれる人を、宣教する側としては尊敬しなければならない。もちろん、そこであわててキリスト教を紹介することは避けるべきである。信仰は折伏ではない。相手が自分から自発的にキリスト教を求めてくるまで、待たなければならない。

一方、信者の生き甲斐はキリストへの信仰に発している。人生観も日常の行動も、その信仰を物語る「証し」であるはずだ。しかし信者は聖人ではないから、実際のところは多かれ少なかれ、その口から出る信仰告白と日常の態度は不一致で、異なるメッセージを届ける仕儀となっている。それでも、その〝言行不一致〟は宣教を妨げない。信徒はあらゆる「機会」を利用して「キリストが生きているのは本当だ」と宣言できるのである。

最後に一言

最後に一言述べたいことがある。宣教しようと思う信者が少ないのは事実だが、それはなぜだろう。マタイ福音書28章18節のメッセージを心底から信じることができていないからだ、と私は思う。復活したキリストは天と地の一切の権能を授かっている。その「天と地の権能」は霊的なことだけでなく物質的な事柄をも含むことを、信者には本当に理解してほしい。続く19節の最初の「だから」という言葉を、真剣に受け止めたい。「キリストの復活が事実だから、信徒はそれを宣べ伝える」のだ。〈復活したキリストは、あらゆる面において世の未来を握っている〉から、信徒は当然、その真理を宣言するのである。

「ユートピア」構築の手引書を与えよう

【編者註】以下は、1989年にネランさんが教え子たちに贈った小冊子『ユートピア』で、その内容は「社会人への宣教の勧めとその方法」です。そのプレゼントを教え子たちがどう受け取りどう行動したかについては、ネラン塾OBの米田友義氏と山内継祐氏の述懐（本稿の後に収載）に詳しいので併せてご一読ください。ここではまず、『ユートピア――72人クラブの定款』全文をご紹介します。

サラリーマン宣教の要諦

『ユートピア――72人クラブの定款』全文

宣教――信者でない人にキリストを宣べ伝えること――するグループが生まれる。それを72人クラブと名づける（ルカ10－1）。以下、「72人クラブ」の定款である。

目的

①72人クラブのメンバーは宣教する。

「宣教することが信者の使命であると強調する必要はない。が、一応、聖書の二箇所を思い起こすがよい。マタイ28－19で、イエスは宣教することを命令する。また、ヨハネ20－21は宣教がキリストの使命に与ることであると教えている」。

②対象をサラリーマンとする。
「それは選択の問題である。その理由は、東京の住民の大多数がサラリーマンだから」。

③72人クラブのメンバーはサラリーマンである。
「これは鉄則である。サラリーマンをキリストへ導くのはサラリーマンである（1コリント9－20～23）。他のやり方——たとえば教師が学生を教えるなど——もあるが、72人クラブはそれをしない。

④72人クラブはグループである。
「キリスト教はあくまでも団体であるから。また、一人では何もできない。他のメンバーの忠告と激励がぜひとも必要である」。

⑤72人クラブはサラリーマンを信じるところまで指導する。すなわち洗礼への願望まで。
「クラブのメンバー自身が洗礼を授けることができないのではない。しかし、教会の普遍性を考えれば、普通の小教区で洗礼を受ける方がよいかもしれない。いずれにせよ、洗礼を受けると決断したサラリーマン自身がそれを決める」。

クラブのメンバー

⑥72人クラブのメンバーは信者である。もちろん、男女を問わない。プロテスタントの信者も歓迎される。

⑦72人クラブのメンバーはサラリーマンである。したがって聖職者はメンバーになれない。「72人クラブは、いわば、司祭依存症ともいうべき病気にかかってはいない。メンバーの入会や活動の方針などを、クラブは自分で決める」。

⑧72人クラブのメンバーは、宣教することを自分の生き甲斐とする。「それは、すなわち、ⓐ金のとりこにならないこと、会社で出世を目指していない（マタイ6－24）こと。ⓑ家庭のことを二次的なものとみる（マルコ3－33～34、ルカ9－57～63）こと。ⓒ必要に応じて犠牲を払うことを覚悟する（ルカ14－26～27など）こと。ⓓ常に祈っている（「わたしを離れては、あなたがたは何もできない」ヨハネ15－5）こと――である」。

神学上の立場

⑨キリスト教は人間をその完成へと導く。

⑩キリスト教のメリットは生き甲斐をもたらすことである。「勧めるために、キリスト教のメリットを強調しなければならない」。

⑪人間の惨めな状態を意識させ、それから「救い主」を宣べるのは、誤ったやり方である。

「キリスト教は癌からも、労苦からも人を救わない」。だから『救い』と言わず『完成』と言う。

⑫キリスト教は愛であると言われている。それを肯定する。ただし、キリスト教の説くアガペー（愛）はエゴイズムの正反対で、人のために生きることであるとはっきり言う。

⑬キリスト教の核心はキリスト自身なので、キリストとの出会いが決定的な事柄になる。日本の文化はキリスト教に感化されていないので、キリストとの出会いの場は、主に福音書である。

⑭教会はキリストに由来し、キリストを伝える団体である（マタイ28－20）。これが教会の本質である。

具体的活動

⑮やること

＊まず、同僚の間にあるタブー――政治や宗教について語らない方がいいという――を打ち破ることである。あえて、相手の生き甲斐を聞いたり、自分の信仰を表明したりする。「折が良くても悪くても（2テモテ4－2）」キリストを宣べ伝えるのである。

＊同僚との集まり――先輩の定年を祝う会、転勤の同僚の送別会、新入社員の歓迎会など――で、自分の生き甲斐である信仰を宣言する。

＊主にマン・ツー・マンで話し合う。飲み屋でもどこでも出会う機会を作る。

＊72人クラブの集まりは月に1回は開く。

＊メンバーは少数にする。（10人以下）。少数のメンバーのクラブが多数存在するのが望ましい。

＊場所はどこでもいい（メンバーの一人の家でも、飲み屋でもいい）。

＊会議では、各人がどういう宣教をしたかをレポートし、皆がそれを遠慮なく批判したり、評価したりする。

⑯避けること

＊人を礼拝堂へ引っぱって行くこと。

＊講演会や音楽会に人を誘うこと。

⑰注意すべきこと

＊一人の司祭が72人クラブを支配するようになってはいけない。それを防ぐために⑦を守らなくてはいけない。

「ただし、ある問題点について神学者の意見を聞くぐらいのことはかまわない」。

＊リーダーが独裁者にならないようにする。72人クラブは、特にリーダーシップのある人によってはじめられるから、その危険がある。それを防ぐためには任期制を設けるといい。

＊72人クラブは単なる友達グループになるおそれがある。それを避けるために、宣教しないメンバーは容赦なく追い出すことだ。

⑱対話のテーマ

＊サラリーマンの仕事は社会の役に立っている。すなわち人類への貢献である。このことを意識させる。
「キリスト教は厭世からの逃れ場ではない」。

＊新しい知識を生み出す研究は、人類の進歩の元である。より良い世界をあこがれるのは、人間性の貴重な要素である。
「そこで、人類の目的は何であるかが話題に上る」。

＊国家がある。その存在理由は国民の利益ではなく、全人類に貢献することである。
「そこで『日本教』に遭遇する」。

＊福祉事業に賛成する人は多い。考えてみれば、その事業は愛の実践であることがわかる。

＊美を鑑賞すること、また、美術品を造ることは超越的なリアリティーへの道の一つである。

＊セックスの営みは貴いことである。繁殖力であり、愛の表現である。

＊幸福の問題。キリスト教は真の喜びを与える。生き甲斐をもたらすから。

＊西洋音楽を味わう人は、そこにある超越的なメッセージを受け取るはずである。

＊家庭の雰囲気。子どもを愛するのは、子ども自身の幸福を目指すことである。親子の対話で充実した一家団欒を。

補足

⑲信者が自発的に集まる際、司教の許可などまったく必要ない（教会法323）。

⑳72人クラブの存在を隠す必要はない。かといって、わざわざ知らせる必要もない。

㉑他国——たとえば韓国——における宣教のしかたを調べることは容易である。が、それはさほど参考にならない。

㉒マン・ツー・マンではなく、グループ討論を試みるのもいいが、それは人々がすでに興味をもっていることが前提である。

㉓72人クラブのメンバーは「キリスト教」という品物を売ろうとするセールスマンのようなものだ。だから、当然、市場調査をしなくてはいけない。しかし、ことはそう簡単ではない。

㉔メディアを通じて宣教するのもいい。しかし、それには金と才能が必要である。

㉕宣教に対する障害の一つは、現在の人々の霊的な次元への感覚が麻痺しているということである。
その感覚を目覚めさせるためには、適切な文学——たとえば、遠藤周作、森有正の作品——を用いることもできる。

「宣教が成功しない理由は、教会に宣教心が欠けている」からとも言える。しかし、それは宣教の困難の一要素に過ぎない。

なお、理性に背を向けて、魔術あるいは変なセクトに陥る人がいる。しかし、キリスト教は理性を捨てることを要求しない。真の科学精神はキリスト教と矛盾しない。そればかりか、科学は、自然の神秘への門を開いてくれる。

㉖必要に応じて、72人クラブはキリストを紹介するパンフレットを作る。

㉗72人クラブは、原罪、三位一体、十字軍、離婚などの厄介な問題は議論のテーマとしないで、簡単に扱っておく。

追記

＊以上の文章が、1997年に東京で書かれたという事実を忘れてはいけない。

＊筆者は、サラリーマンではないし、また、老人の宣教師であるから、72人クラブと関係することはない。

『定款』に引用された福音書の該当箇所

◇宣教するグループが生まれる。それを「72人クラブ」と名づける。

（その後、）主はほかに72人を任命し、御自分が行くつもりの全ての町や村に二人ずつ先に遣（つか）わされた。（ルカ10－1）

目的

◇定款① 72人クラブのメンバーは宣教する。

「あなたがたは行って、全ての民をわたしの弟子にしなさい。」（マタイ28－19）

（そこへ、イエスが来て真ん中に立ち、「あなたがたに平和があるように」と言われた。）[20]そう言っ
て、手とわき腹とをお見せになった。弟子たちは、主を見て喜んだ。[21]イエスは重ねて言
われた。「あなたがたに平和があるように。父がわたしをお遣わしになったように、わた
しもあなたがたを遣わす。」（ヨハネ20－20～21）

◇定款③ 72人クラブのメンバーはサラリーマンである。

「[19]わたしは、だれに対しても自由な者ですが、全ての人の奴隷になりました。できるだ
け多くの人を得るためです。
[20]ユダヤ人に対しては、ユダヤ人のようになりました。ユダヤ人を得るためです。
律法に支配されている人に対しては、わたし自身はそうではないのですが、律法に支配さ
れている人のようになりました。律法に支配されている人を得るためです。
[21]また、わたしは神の律法を持っていないわけではなくキリストの律法に従っているので
すが、律法を持たない人に対しては律法を持たない人のようになりました。律法を持たな
い人を得るためです。
[22]弱い人に対しては、弱い人のようになりました。弱い人を得るためです。

全ての人に対して全てのものになりました。何とかして何人かでも救うためです。[23]福音のためなら、わたしはどんなことでもします。それは、わたしが福音に共にあずかる者となるためです。」（1コリント9－19～23）

クラブのメンバー

◇定款⑧　**72人クラブのメンバーは、宣教することを自分の生きがいとする。**

a　**金のとりこにならないこと、会社で出世を目指していないこと。**

「だれも、二人の主人に仕えることはできない。一方を憎んで他方を愛するか、一方に親しんで他方を軽んじるか、どちらかである。あなたがたは、神と富とに仕えることはできない。」（マタイ6－24）

b　**家庭のことを二次的なものとみること。**

（[32]「母上と兄弟姉妹がたが外であなたを探しておられます」と知らされると、）イエスは、「私の母、私の兄弟とはだれか」と答え、[34]周りに座っている人々を見回して言われた。「見なさい。ここに私の母、私の兄弟がいる。」（マルコ3－32～34）

（[57]一行が道を進んで行くと、イエスに対して「あなたがおいでになる所なら、どこへでも従って参ります」という人がいた。）[58]イエスは言われた。「狐には穴があり、空の鳥には巣がある。だが、人の子には枕する所もない。」[59]そして別の人に、「わたしに従いなさい」と

言われたが、その人は、「主よ、まず、父を葬りに行かせてください」と言った。60イエ
スは言われた。「死んでいる者たちに自分たちの死者を葬らせなさい。あなたは行って、
神の国を言い広めなさい。」61また、別の人も言った。「主よ、あなたに従います。しかし、
まず家族にいとまごいに行かせてください。」62イエスはその人に、「鋤に手をかけてから
後ろを顧みる者は、神の国にふさわしくない」と言われた。（ルカ9－57～62）

c

必要に応じて犠牲を払うことを覚悟すること。

「26もし、だれかがわたしのもとに来るとしても、父、母、妻、子供、兄弟、姉妹を、さ
らに自分の命であろうとも、これを憎※まないなら、わたしの弟子ではありえない。27自分
の十字架を背負ってついて来るものでなければ、だれであれ、わたしの弟子ではありえな
い。」（ルカ14※※－26～27）

※【バルバロ訳「新約聖書」中同箇所にある註釈】「憎む」とは〈肉親への愛も神への愛以上のものではない〉という意味。また自分に対する肉親の考えが、神の思し召しに背くときは、彼らの歪んだ横暴な考えに反対すべきである。これが弟子の心構えでなければならない、とイエスは教える。

※※　ネラン師はルカ14－26～27を挙げた後に「ほか」と付け加え、同様の言葉を福音書の他の箇所に見出すよう、クラブのメンバーに促している。その促しに応えることも、メンバーの楽しみだ。

d　**常に祈っていること。**

「わたしはぶどうの木、あなたがたはその枝である。人がわたしにつながっており、わたしもその人につながっていれば、その人は豊かに実を結ぶ。」（ヨハネ15－5）

神学上の立場

◇定款⑭　教会はキリストに由来し、キリストを伝える団体である。

「（彼らに父と子と聖霊の名によって洗礼を授け、）あなたがたに命じておいたことを全て守るように教えなさい。わたしは世の終わりまで、いつもあなたがたと共にいる。」（マタイ28－20）

◇定款⑮　やること。

（＊まず、同僚の間にあるタブーを打ち破り、あえて相手の生き甲斐を聴いたり、自分の信仰を表明したりする。）折がよくても悪くてもキリストを宣べ伝えるのである。（二テモテ4－2）

補　足

◇定款⑲　信者が自発的に集まる際、司教の許可などまったく必要ない。

（教会法323※）

※**信者の私的会**：「信者の私的会は、自主的に会を設立し、指導し、運営する権限を持つ信者たちの自由なイニシアティブによって創設されます。しかし、私的会としての性質を変えることなく会則の承認を売ることが切に求められます。（中略）私的会においては、会の生活における多くの領域において実現されている、広い範囲での自治が認められています。」

「私的な会と呼ばれるのは、信者の創造力に基づき、その本性からして教会権威者に留保されていない私的な目的を自らのものと定める、個々の信者によって設立された会のことであり、仮に会則の承認を得た後であっても未だ法人格を取得していない会のことを指します。私的会は、教会と関係した目的を追求してはいるものの、正式な教会法上の任務を受けておらず、教会の名において会の使命を遂行するものではありません。」（ウルバノ大学教授・ルイージ・サバレーゼ著、カトリック東京管区教会裁判所判事・田中昇神父訳『解説・教会法』１１２～１１４頁）

『ユートピア』考現学

明示された「宣教の実践法」

——ネラン塾ＯＢ・ＯＧ会のオンライン・ミーティングから

（司会／ミーティング世話人　**米田友義**＝ネラン塾１期生）

その生涯を通して「宣教」に徹した司祭との巡り合い——司会者の発言

１９６２（昭和37）年から約５年間、東京・お茶の水の中央大学正門前に、一人のフランス人宣教師が開く私塾があった。宣教師の名前「ジョルジュ・ネラン」を冠って「ネラン塾」。学生運動が猖獗（しょうけつ）を極めて学園紛争が多発し、キリスト教の世界では第二バチカン公会議の実りが、少しずつ日本の教会にも浸透し始めた、そんな時代だった。

都内各大学の門前や最寄り駅前で熱意に突き動かされた学生有志がチラシを配り、キリストを知らない学生仲間に入塾を呼び掛けた。「中央大学カトリック研究会」のメンバーらは、ネランさんが同大カト研の指導司祭を務めていた縁もあり、手弁当でチラシ配布と「塾」の設立準備を引き受けた。

学生たちに本物の「生き甲斐」を与えるのがネラン塾の目的だった。半年間を1期として、年間2期制。望めば複数の期をまたいで在籍できる仕組みだ。各期に120人の学生が、お茶の水の雑居ビル5階に集まり、毎週ネラン神父の講義とテーマ別討論に各1回、取り組んだ。

既存の小教区聖堂や教会施設を使えばいいのに、という周囲の声に、ネラン神父は答えた、「今、教会は学生たちに宣教していますか？　教会敷地内に迷い込んでくる子羊を待っているだけではありませんか。それでは学生の心を掴むことはできない。だから、既存の枠に囚われない『場』を創る必要があったのです」。

延べ10期、約900人の学生が「ネラン塾」の塾生となり、その中の102人が洗礼を受けた。都内の大学に通う学生たちに対するネラン神父の宣教は、一定の成果を挙げているかに見えた。が、10期目の終了をもって、ネラン塾は閉鎖された。塾長・ネラン神父は閉塾の理由をこう説明した、「学生と私の歳の差が開き過ぎた。もはや私は彼らの兄貴分ではない。父親の世代になってしまった私が何を語っても、学生たちの心には響かない」。

10年ほどの充電期間を置いた後、ネラン神父は東京・新宿の歌舞伎町に酒場を開設する。名付けて「宣教スナック・エポペ」。フランス語で〝叙事詩〟〝冒険絵巻〟を意味するこの店名には、サラリーマンと真の生き甲斐を語り合いたいというネラン神父の願いが込められていた。

還暦の身でバーテンダースクールに通い、ネラン神父はカウンターの中に立って毎晩シェーカーを振った。歌舞伎町の外れに借りたマンションが神父のねぐら。定休日の日曜にはそこのダイニングルームがミサ会場となり、酒席の語らいで興味を持ったサラリーマンたちが神妙な表情でミサに参加した。

宣教対象が学生からサラリーマンへと変わったように見えるが、そうでもない。かつてネラン塾に通った学生たちが卒業してサラリーマンとなり、エポペで酒を酌み交わすようになっていたのだ。

神父が盛り場にスナックを開いたことはメディアで好意的に取り上げられ、各地から信者が訪れた。しかし彼らがカウンター越しに〝神父様〟と呼び掛けると、ネラン神父はそのたびに目を剥（む）いて抗議した。

「〝神父様〟と呼ばないで！『ネランさん』と呼んでください。『様』の乱用は封建時代の名残、聖職者至上主義の悪しき風習です。それが日本人に教会を誤解させ、宣教の妨げとなっていることに、どうか気づいてほしい」。

日本有数の歓楽街に6坪ほどの店を構えた宣教スナック「エポペ」が10年も経った頃から、ネランさんはサラリーマン信徒に檄（げき）を飛ばし、サラリーマン仲間への宣教を信徒自らが積極的に行うよう、ハッパをかけ始める。自らが老境に達したことを自覚したネランさんは、宣教の主役の座をサラリーマン自身に譲ろうと決心したのである。

スナック「エポペ」は35年間続いたが、その後半期に差しかかった１９９７年、ネランさんはＢ６判16頁の小冊子を編み、かつての教え子たちに配った。しかし、『ユートピア――72人クラブの定款』と題するこの冊子を手にした教え子たちは、戸惑った。まるで判じ物のように難解な文章、何を言いたいのか分からない構成……　塾生ＯＢ・ＯＧや、エポペの常連で受洗の恵みに与（あずか）ったお客らの多くは『ユートピア』を書棚の奥に仕舞い込み、ネラン神父が帰天した２０１１年以後も、この冊子について語り合うことをしなかった。

ネラン塾出身者の多くが後期高齢者となった昨今、ＯＢの中から「『ユートピア』を読み直そうではないか」という声が挙がり始めた。そこで２０２２年７月、ネラン塾のＯＢ・ＯＧたちは、手元にある『ユートピア』を持ち寄り、オンライン・ミーティング形式で〝読み直し〟の機会を持つことになった。

以下は、ネラン塾で事務取り扱い役として、また「エポペ」では初代社長として、ネラン神父の宣教事業の〝裏方〟を務め、ミーティング当日『発題者』となったカトリック・ジャーナリスト、山内継祐氏が綴った、ミーティング・スピーチの草稿である。氏のスピーチを通して読者諸賢とご一緒に、あらためて『ユートピア』の真価を味わってみたい。

ネラン師の喝破「キリスト教の核心は〝救い〟でなく『完成』である」

話し手／ネラン塾創立時事務取り扱い　山内継祐

示唆に溢れる宣教指南書

冊子『ユートピア——72人クラブの定款』を手にしておられるネラン塾OB・OGの皆さんは、ネラン師とご自分の関係を思い返しながら、このネラン師からのプレゼントを読み解いておられると思います。

塾OBの一人である私もまた、『ユートピア』読み直しの号令が掛かってからの2ヵ月間、自分なりに、ネラン師の遺訓に向かい合ってきました。

今日は「ネラン塾OB・OG会オンライン・ミーティング」司会進行役・米田友義さんから指名を受け、この『ユートピア』を読み直して感じたところを、皆さまと分かち合うことになりました。私の拙(つたな)い気づきが、塾友はじめ同信の皆さまにとって「自論」形成の小さなヒントにでもなれば、私にとっては大きな喜びです。

できれば敬遠したい苦行だった

お話を始めるにあたって、まず、冊子『ユートピア』を読むという作業は私にとって、長い間、

〝できれば敬遠したい苦行〟であったことを告白します。

フランス人宣教師で東京教区司祭として生涯を全うされたジョルジュ・ネラン神父が1997年、ネラン塾OB・OGの信徒に向けて執筆された冊子『ユートピア』は、塾OBの一人、安部毅一さんによって制作され、そのうち50部余りは永いこと、拙宅の書棚の隅で眠っていました。ときどき思い出してはざっと読んでみるものの、そのたびに、飛躍の多い文脈と、言葉足らずな条文を理解しかねて辟易(へきえき)するばかりでした。

一々の条文に福音書からの引用箇所が示されているのも煩(わずら)わしく、定款を噛みしめて味わうことなどとてもできなかった、というのが正直なところです。

2023年5月、ネラン塾OB・OG会ミーティングの世話人・米田さんの提案で、「『ユートピア』を改めて読み直してみようではないか」ということになりました。当時、私はたまたま、東京教区司祭で聖書学者のS神父さんから依頼され、S師の語り下ろし書籍を制作中でした。現在は口述データを起こし終え、文章化する作業に取り掛かっています。ところがS師の口述には飛躍が多く、しかも常に言葉足らずなため、編集作業開始から1年半を経ても、内容の理解に苦しむことの連続です――そう、S師の新刊とネラン師の『ユートピア』は、よく似た特徴を持っているのです。当然、私にとってはまったく同じ類いの〝できれば敬遠したい苦行〟でしかありませんでした。

救ってくれた一片のキーワード

しかし、S師との会話の中で頻繁に出てくる一つのキーワードが、その難行苦行から私を解放してくれました。多分、今、『ユートピア』と格闘しておられる皆さんにとっても、多少の助けにはなるかもしれませんので、先にそれを申し上げます。

そのキーワードは、S師が好んで使われる〈聖書リテラシー〉という和洋折衷語です。辞書を引くと〔「リテラシー（英：literacy）／原意は『読み書き能力や知識』のこと。他の語とセットで使われることが多く、ネットリテラシーと言えば、ネットで収集した情報を的確に活用する能力を指す」〕とあります。

S師は〈聖書リテラシー〉を、『聖書が発信する情報を正しく理解し、実生活に活用する能力』という意味で、また『宣教』という側面では「聖書の現代化」という意味で使われています。

これについて詳しい説明を求めると、次の返答がありました。

「聖書は〝珍奇な古代の巻き物〟とか単なる出来事の記録ではありません。神のご計画のスケジュール表であって、旧約の完成が新約、そして新約の柱であるイエスの福音は〝未来を含む現代〟において完成されるべき『人類の目標』なのです」「まだイエスの福音が世の隅々まで行き亘(わた)っているとは言えない現代、人々の営みが旧約時代の人間の生きざまをそのまま踏襲している事例は、驚くほど多くあります。ウクライナ侵攻のひな型は『箴言』にあるし、行き過ぎた資本主義の高慢は『士師記』『アモス書』が指摘するところです。言い換えれば聖書には、現代の諸問題を解決するカギがある。したがって、聖書はリテラシーに照らしながら〝現在進行形〟で読まなければなりません」

言われてみればなるほど、旧約聖書は全体としてイエスの出現を待つ人々の願望を繰り返し語っており、それはイエスの受肉によって完成しました。そしてイエスの言葉と行動は、この世を完成に導く教えであり諭(さと)しです。イエスは今も、人類を「完成」へと導いておられ、私たちはイエスの示される「完成」への道を歩んでいます。

S師と対話するなかでそこに思い至った瞬間、私は「72人クラブの定款」第11章にある「……キリスト教は（教えの中核を）『救い』と言わず『完成』と言う」という一節を思い出していました。そしてそのとき初めて、ネランさんが私たちに遺された「定款」の、底知れない奥深さに気づかされたのです。

実際、〈聖書リテラシー〉に照らして読み直すと、福音を丹念に引用するかたちで編まれた『ユートピア』は、実に多くの示唆を私たちに与えてくれていることが分かります。

そこでこの機会に、「引用箇所の明示を通してネランさんが私たちに何を伝えたかったのか」を考え、それによった〝気づき〟を日々の暮らしに生かすことによって、ネランさんの期待に幾分か応えたいと願っています。

社会人信徒に託された使命

『定款』に示された聖書引用箇所を辿ってみると

それでは、『ユートピア――72人クラブの定款』に引用された聖書の箇所を、「定款」の条文を追いながら考えてみましょう。（草稿が本書に収載されるにあたっては読者の便を考慮し、定款の大項目となる「括り」ごとに、「章または項」の本文を太字で示し、次に「引用箇所の本文」を細ゴシック体で紹介します。また必要に応じて※印を付け、私自身が気づかされたところを記しました。）

ユートピア

宣教するグループが生まれる。それを「72人クラブ」と名づける。

（その後、）主はほかに72人を任命し、御自分が行くつもりの全ての町や村に二人ずつ先に遣わされた。（ルカ10－1）

※『ユートピア』はまず、前文にあたる冒頭で、ルカによる福音を引いて、〈宣教グループ「72人クラブ」〉の設立を、簡潔に宣言しています。

ルカの9章によると、イエスは12人の直弟子を「ペトロを頭とするご自分の教会の統率者」に任じられました。それに続く10章は、「イエスがご自分に付き従っている人々のうち72人を『宣教者』として各地に派遣された」という歴史上の事実を証言しています。派遣されたのは、イエスを信じ、その福音を宣べ伝える使命を自覚した人々です。

ネランさんはこの宣言を「定款」の冒頭に据えることによって、イエスを信じ、その勧めに従って洗礼を受けた私たちもまた、任命された72人のうちの1人であることを自覚するよう、促されているのではないでしょうか。

目　的

定款①　72人クラブのメンバーは宣教する。

「[19]あなたがたは行って、全ての民をわたしの弟子にしなさい。」（マタイ28－19）

「（そこへイエスが来て真ん中に立ち、「あなたがたに平和があるように」と言われた。）そう言ってから、手とわき腹とをお見せになった。弟子たちは、主を見て喜んだ。イエスは重ねて言われた。「あなたがたに平和があるように。父がわたしをお遣わしになったように、わたしもあなたがたを遣わす。」」（ヨハネ20－20～21）

※福音書の中で、信徒がなすべき宣教に関して、これ以上直截的に「使命の付与」を記した箇所はありません。若い日のネランさんはこの箇所を〈神から自分への、有無を言わせぬ強い指示〉と理解し、職業軍人の道を棄て、聖職者への道を選ばれました。そして半世紀後、今度は同じ「神の指示」を、自分の教え子であるネラン塾出身の信徒らにバトンタッチされたのです。

定款③　72人クラブのメンバーはサラリーマンである。

「……19わたしは、だれに対しても自由な者ですが、全ての人の奴隷になりました。できるだ
け多くの人を得るためです。
20ユダヤ人に対しては、ユダヤ人のようになりました。ユダヤ人を得るためです。
律法に支配されている人に対しては、わたし自身はそうではないのですが、律法に支配されて
いる人のようになりました。律法に支配されている人を得るためです。
21また、わたしは神の律法を持っていないわけではなく、キリストの律法に従っているのです
が、律法を持たない人に対しては律法を持たない人のようになりました。律法を持たない人を得
るためです。
22弱い人に対しては、弱い人のようになりました。弱い人を得るためです。
全ての人に対して全てのものになりました。何とかして何人かでも救うためです。
23福音のためなら、わたしはどんなことでもします。それは、わたしが福音に共にあずかる者
となるためです。」（1コリント9－19～23）

※定款第3条は、読みようによって〝『ユートピア』はサラリーマン限定の宣教指南書に過ぎない〟と誤解されかねません。この条文の引用箇所としてネランさんは「コリント人への第一の手紙」の9章から19節と20節を挙げておられるのですが、それに続く21節を読み足せば、「サラリーマン」という言葉が実は、自在に読み替えの利く〝マジカル・ワード〟であることが分かります。

すなわち、宣教の使命を託された信徒は、それぞれの地域・職域、人間関係といった環境の中で、同じ環境にいる「まだイエスの魅力を知らない仲間たち」に、福音――定款に従うなら「真の生き甲斐」――を伝えるべきだ、と読み替えることができるのです。

クラブのメンバー

定款⑧　72人クラブのメンバーは、宣教することを自分の生きがいとする。

※ここには、72人クラブのメンバーの基本的な心構えが、AからDまで4項にわたって規定されています。

その内容には今でも、襟を正さずにはいられない厳しい響きがあります。いい加減に生きてきた私などは、ひたすら頭を垂れて反省せざるを得ません。ところでこの条文のC項に、私たちが見逃してはいけない〝仕掛け〟があることにお気づきでしょうか。

Ⓒ　**必要に応じて犠牲を払うことを覚悟すること。**

「もし、だれかがわたしのもとに来るとしても、父、母、妻、子供、兄弟、姉妹を、更に自分の命であろうとも、これを憎まないなら、わたしの弟子ではありえない。自分の十字架を背負ってついて来るものでなければ、だれであれ、わたしの弟子ではありえない。」（ルカ14－26～27など）

※ネランさんはルカ14－26～27を挙げた後に、「など」と、ひらがなにして二文字を付け加えておられます。この二文字を加えることによって、私たちに「福音書の中には、イエスが弟子の心

得を述べた箇所が、ほかにもたくさんあるよ。その箇所を探し出して、味わってごらん」と勧めておられるのだと、今回読み直していて、私は初めて気づきました。『〝私の弟子であれ〟と語り掛けるイエスの言葉を繰り返し味わうことは、72人クラブのメンバーにとって、活動の大きな原動力になるに違いない』というネランさんの思いが、この二文字に窺(うかが)われます。

補　足

定款⑲ 信者が自発的に集まる際、司教の許可などまったく必要ない。

※「教会法323」を引用して書かれた定款第19条は、意外とも言えるほど激しい語調で書かれています。なぜでしょうか。

ご存じのようにカトリック教会は歴史上、いくつかの〝極めて世俗的な過ち〟を犯してきました。ルネサンス後のヨーロッパ社会に台頭した「ヒューマニズム」に背を向け、中世そのままの聖職者至上主義と権威主義に安住して過ごした、〝300年に及ぶ怠り〟もその一つです。

その愚かさに気づき、神の似姿である人間の価値を真正面から見つめ直したのが、教皇レオ13世の回章『レールム・ノヴァルム』です。この回勅を学ぶことによって回心した教会は、第2バチカン公会議を開き、神学上・司牧上の抜本的な刷新に踏み切って、多くの改革を成し遂げました。定款第19条が根拠としている部分を含む「教会法典」の改訂や、各種「教令」の全面的な見直しは、その大きな成果です。

ネランさんは、20世紀の教会改革期に、神学者・宣教者として第一線に立ってこられました。公会議後も相変わらず〃聖職者至上主義〃にこだわり続ける日本司教団の権威主義的な司牧方針に真っ向から反対していたネランさんの、「第2バチカン公会議の実りを、次の世代を担う信徒と共有しなければならない」という信念が、このような激しいタッチの条文となったのです。

ちなみに現在、バチカンが掲げている「信徒使徒職に関する教令」は、「72人クラブ」のような〈信徒グループによる私的会〉に大きな自由裁量権を認め、「その自主性は全面的に尊重される」と明文化しています。

神学者・宣教者としてネランさんが書かずにはいられなかった定款第19条の精神は、今、世界教会の基本的な司牧指針となっているのです。

私たちは、敬愛するネランさんの先見性と、ネランさんが作成された「72人クラブの定款」を持っていることを、信者として誇りにしたいと思います。

いつ、どこで、誰にイエスを紹介するか

宣教者ネラン師の期待と教え子が担った使命

右にご紹介した「定款」と、その根拠となる福音からの引用箇所を味わえば、「だれが」「いつ」「何を」「どのような手段・方法で」「だれに伝えるべきか」――即ち、ネランさんが遺訓『ユー

トピア』に込められた願いと、現にこの世を生きているキリスト信者の使命は明らかです。それは、次のようなものでありましょう。

「**だれが**」

『ユートピア』が想定している主役は、〈イエスの福音を知り、信じ、教会の教導権に励まされながら毎日を生きている信徒〉です。１９９７年にネラン塾ＯＢ・ＯＧに向けて書かれたこの小冊子が指しているのは、直接にはネラン師を通じて福音を知り、信じて、受洗したネラン塾出身の信徒サラリーマンですが、前述のように、このマジカル・ワードは、広義には〈塾生信徒を通じて受洗に導かれた各界各層の多様な人々〉、さらには社会人信徒の一人ひとりも主役である、と解され得ます。

「**いつ**」

ネランさんは事あるたびに「折がよくても悪くても、宣教しなさい」と言っておられました。そのフレーズは「72人クラブの定款」15条に登場しています。〝歓迎されようと、敬遠されようと〟〝過酷な弾圧下でも、我が世の春を謳歌できる時代でも〟〝乗りに乗っているときであろうと、気が進まないときであろうと〟「そんなことは一切気にせずに働きなさい」と、ネランさんは信徒を励まします。

「**何を**」

「キリスト教の核心はキリスト自身である」（定款13条）「キリスト教のメリットは生き甲斐をも

たらすこと。それによって真の喜び＝幸福＝をもたらす」（同10条）「キリスト教は人間をその『完成』へと導く」（同9条、18条7項）などを宣べ伝えるよう、「定款」は指示しています。

「どのような手段・方法で」

地域・職域・人間関係など「72人クラブ」メンバーが置かれている〝場〟で、あらゆる機会を捉え「自分の生きがいである信仰を、おもにマン・ツー・マンで宣言する」ことを定款（15条2項～7項）は求める一方、「人を礼拝堂へ引っ張っていく」「講演会や音楽会に人を誘う」「司祭が主導する」などの性急な行為は避けるべきだ（同16条）と注意を促します。

定款が対話のテーマとして真っ先に上げているのが「サラリーマン（＝あなた自身）の仕事は社会の役に立っている。すなわち人類への貢献である」というフレーズであることは、前述のように『ユートピア』がサラリーマンに向けて書かれていることから当然です。しかしこれはどんな仕事にも、どんな立ち位置にも〝言い換え〟の利く語であることを、私たちは既に観取しました。どんな仕事でも、どんな活動をしている人でもその働きは社会の役に立ち、人類への貢献となっている――と知れば、人はどんなにか力づけられることでしょう。

こうした〝言い換え〟〝読み替え〟が成立することこそ、『ユートピア――72人クラブの定款』の真骨頂であり、ネランさんがこの小冊子に託した普遍性なのではないでしょうか。

「だれに伝えるか」

前項のように読み解けば、定款5章「72人クラブはサラリーマンを『信じる』ところまで指導する。すなわち『洗礼への願望まで』」も、宣教対象の「サラリーマン」を「72人クラブのメンバー――つまり、あなたや私――が普段接している隣人」、延いては「まだキリストの息吹に触れていない善意の日本人」にまで拡げることが可能です。

かくて私たちは「宣教することを自分の生き甲斐とする」（定款8条）ような人生を生きる使命を担っている、と改めて知ることになります。

最後に、冊子名『ユートピア』について、その名を繰り返し呼んでいるうちに気づいたことをお伝えします。

ネランさんはいったい、どのような意図をもって、この冊子を『ユートピア』と名付けられたのでしょうか。その答えの一つは、〈72人クラブが目指すところは「イエスの福音が実現された世界」すなわち『ユートピア』の建設である〉という、明確な目標の設定でしょう。

しかしこの冊子を読み返しているうちに私は、ネランさんがこの冊子に込められたもう一つの意図を、強く感じるようになっていました。それは、〈「72人クラブ」に集う信徒が、定款に励まされながら試行錯誤を重ねている光景そのもの〉を、ネランさんは「ユートピア」と形容されているのではないか――ということです。愛弟子たちが悪戦苦闘するその光景はきっと、ネランさんにとって〝そうあってこそ我が教え子たち！〟と頷きたくなる理想の光景（＝ユートピア）ではないでしょうか。

とすれば、ネランさんの導きに従いたいと願う信徒の私たちが歩むべき道は一つです。天国のネランさんの叱咤激励を受けながら、真の生き甲斐の体現を目指す同志が集い励まし合うユートピアに生きつつ、イエスの福音の完成（＝「ユートピア」の建設）に力を尽くすこと以外にありません。

そのために――

・それぞれが置かれた環境の下で、
・まだイエスの魅力を知らない善意の隣人に向き合い、
・「定款」が示すやり方で、
・「定款」が示す「真の生き甲斐」を伝えながら、
・この世に生かされている今を、

――精いっぱい進んでみようではありませんか！

もちろん「ユートピア・リテラシー」に照らすなら、それは、イエスに従う全ての信徒の歩むべき道でもあります、今、拙稿を読んでくださっているあなたを含めて。同信の人々とともに地域で、職域で、そして小教区活動の中で、励まし合いながら歩みましょう。

そんな私たちの姿を、ネランさんはきっと、天国の自室書斎に居て、愛用のパイプをくゆらしながら、優しい眼差しで見守ってくれているに違いありません。

あとがきに代えて

■インタビュー（月刊誌『カトリック生活』２００３年３月号から）

東京教区司祭　G・ネラン師に聞く

聞き手／**牧口哲英**

日本人と歩み続けてきた50年

（『カトリック生活』編集部によるリード文）

横浜港から日本に上陸し、それから半世紀、日本人の学生とサラリーマンへの宣教に携わってこられたジョルジュ・ネラン師。「ネラン神父さまがいらしたころ私はまだ生まれていませんでした」という働き盛りの歯科医師の牧口哲英氏が、ネラン師に五十年の流れの中で見た日本人男性像を聞く。

日本上陸

牧口　神父さまが日本に宣教に来ようと思われたきっかけは何でしょうか。

ネラン　だれでもそうだと思いますが、学校を卒業する前にこれからどうしようかと考えるでしょう。私も神学校の卒業を前に考えました。フランスのリヨン市に生まれ、リヨン教区に属する私がリヨン教区の神父になる、それでは当然すぎてあまり魅力を感じられません。どこかの宣教地で働きたいと考えていたのですが、当時は中国もインドも宣教師を受け入れていませんでした。ところがマッカーサーが統治していた日本ではキリスト教に対する関心がにわかに高まってきているという話が聞こえてきたのです。

そこで日本のことを調べていると、リヨンで発行されている宣教関係の雑誌に〝東京の上智大学でイエズス会の司祭たちが十二人の日本人大学生をフランスに留学させようと計画しているが、いくつかの都市に派遣したいので、各地域で手伝ってくれる人を探している〟という記事を見つけたのです。私の家族は百年以上前からリヨンに住んでいますから、学生の世話をする人を探すことは簡単でした。そして数ヵ月の後、ちょうど私が神父に叙階された一週間後にリヨンにやって来た留学生のうちの一人が、遠藤周作です。彼らが来たのは一九五〇年七月、その二年後の一九五二年十二月九日、私は日本の地に立っていました。

縁とでもいいましょうか、結局日本に来ることは決まっていたのかもしれません。

牧口　神父さまがいらしたころ、日本は戦後の復興期ですね。

ネラン　ええ、直後ではありませんが、まだ戦後でした。そのころの日本は本当に貧しかった。早稲田あたりで蕎麦（そば）を一枚十円で食べたことがあります。普通は十二円でしたから、これは安かったね。

さて、日本に来たばかりの私は日本語ができません。そこで初めに六ヵ月、東京で日本語の勉強をした後、長崎教区に配属されました。

牧口　長崎は熱心な信者が多いところですね。信者でない方はキリスト教に対してどのような認識をもっていらっしゃったのでしょう。

ネラン　長崎というところは歴史の中でキリスト教が大きなスペースを占めます。長崎の方のほとんどが殉教者の子孫か迫害者の子孫でしょう。ですからキリスト教に対してある意味でどちらも当事者なのです。他の地域とは違った雰囲気があるところですね。

生き甲斐を考える

牧口　長崎での司牧の後、また東京に戻っていらしたわけですか。

ネラン　ええ、長崎で日本語の勉強を続けながら教会の仕事を手伝い、三年後に再び東京に移ることになりました。所属教区を変わるというのはそう容易なことではなかったので、運がよかったのでしょう。

しばらく麻布教会の助任司祭をやって、その後二十年間は信濃町の真生会館にいました。そのころ真生会館は大学生が活動の担い手の学生センターだったので、私の仕事はもっぱら学生の指導となりました。

真生会館の仕事と同時に『ろごす』という宣教雑誌を発行したり、大学で教鞭を執ったりもしていましたが、一九六二年から六六年まで、生き甲斐を追求する場として東京の神田で開いた「ネラン塾」の活動は大変楽しかったですね。信者ではない学生に宣教するという目的でしたから、入塾は信者以外に限りました。四年半の間に千数百人の塾生を受け入れましたが、もぐりの隠れ信者が一人、二人はいましたかね。

さて、私の生き甲斐はキリストを信じることです。しかし「ネラン塾」ではこれを押しつけることはせず、学生たち自身に生き甲斐を見つけてもらうよう、私はもっぱら彼らの討論の議長役を務めました。学生紛争で続けられなくなりましたが、とてもおもしろい経験でした。

「ネラン塾」をやめてから、真生会館の理事長を七年間務めましたが、いつの間にか私も学生の父親の年齢を超え、彼らとのギャップを感じるようになりました。そこで学生の世界からきっぱり足を洗って、サラリーマンの世界で宣教しようと考えたわけです。

牧口　そのとき、サラリーマンではなく主婦や母親の集いということを考えられませんでしたか。

ネラン　ええ、考えませんでした。女の人は洗礼を受けて、結婚して、生まれた子どもに洗礼を授けて、その子どももまた結婚して……　ありがたいことに、ずっと教会に居続けるでしょう。しかし私は、教会を中心に集まるグループには興味がないのです。私にとっては常に、新しい人に出会う場こそ魅力のあるものでした。

牧口　それが、教会の配慮がいちばん届きにくい働く男性への宣教だったわけですね。

ネラン　そうですよ。カトリックは『日本の人口の〇・五パーセント以下』でしょう。宣教という以上、いつも残りの九九・五パーセントの人たちを考えるべきだと思います。

孤独な男たちへ

牧口　サラリーマンへの宣教ということで神父さまが始められたのがスナックバー、というのはずいぶん思い切ったことですね。

ネラン　サラリーマンへの宣教にはいくつかの条件があります。信者でない人が対象ですから、教会では無理でしょう、来るわけがない。それから、長く続けるためには経済的にも自立できる形を考えなければなりません。もちろん楽しくなければならない。当時はバブルの時代で、サラリーマンが仕事帰りに一杯飲むという習慣があったので、スナックバーという結論は明らかでした。ある方が見つけてきてくれたのが歌舞伎町のお店で、そこにフランス語で『美しい冒険』を意味する「エポペ」という名のスナックバーが誕生しました。一九八〇年六月のことです。

牧口　神父という立場の方が歌舞伎町で自らシェーカーを振る――　すごいことですよね。いろいろ反響もあったでしょう。

ネラン　いや、ただ便利なところを探していただけで、特に歌舞伎町を選んだわけではないのですが、確かに最初はいろいろ抵抗もありました。ある新聞に「ネランは悪魔の使い」と投書されたこともあったかな。それでも、神父がバーテンダーをやっているということがマスコミで取り上げられたこともあり、信者以外のお客さまも増えて「エポペ」は順調にいきました。

お客さまたちは私が神父だと知っていましたが、尋ねられないかぎり自分からキリスト教について語ることはしません。しかし、せっかく興味をもってやって来た人たちにキリストと出会うチャンスをつくることも大切です。そこで月に二回、「エポペ」の近くに借りていた私の家で聖書研究会をして、日曜日にはミサも挙げました。さすがに信者でない方はミサにはほとんど参加しませんでしたね。歌舞伎町は日曜日の朝にまでわざわざ来るところではないですよ。でも、クリスマスのお祝いは大々的に行い、こちらには毎年たくさんの方が参加してくれました。

牧口　神父さまは、友情の場を提供するのが「エポペ」の使命であるとおっしゃっていますね。

ネラン　「エポペ」には、一人でいらっしゃるお客さまもいます。私はしばらく黙って見ています。隣の人と話し出せばそれでいい。でも黙っている人は二杯目のおかわりのときに隣の人と引き合わせます。

牧口　「エポペ」が長く続いているということは、その友情が求められているのでしょうか。

ネラン　東京にいるサラリーマンは必ずしも東京出身の人ではないと思います。地方から出てきて一人で住んでいたり、また、結婚して家庭をもっていても、自分の兄弟や親戚と会う機会が少なかったり、という人もいるでしょう。多くの人が孤独感を覚えている。これは東京というより大都市の特徴ですね。大都市では隣に誰が住んでいるのか知らない場合もあります。ですから一人暮らしの方が何日も前に亡くなったのに、近所の誰もそのことに気づかなかった、というニュースが流れたりするのです。

でもその反面、ありがたいことは、隣すら関係がないのだから至って自由だということ。田舎では、今だれが何をしているか、情報はすぐに広まります。私は外国人だから余計目立ちました。いつブドウ酒を一本買いに行ったか、町中がみんな知っているんです。大都市ではそういう煩わしさはありませんね。そのプラスに対して、マイナスは孤独である、ということです。「エポペ」はそのマイナスとプラスの間を埋める場だったのでしょう。

しばらくは私も毎日午後五時から午前一時までカウンターに立っていましたが、これは大変疲れる仕事ですので、一九八八年からは若い後継者に現場を譲って、現在はたまに顔を出すだけになりました。

日本人とキリスト教

牧口　最近、会社帰りに聖書講座に出たり、祈りの会に参加したりする男性が多くなってきたと聞きます。ある大学の夜間神学講座でも、八〇年代は参加者のほとんどがシスターと女性だったのが、今は半分が男性になっているそうです。

私は今から十五年ほど前に、子どもが入学したカトリックの学校の、父親のためのキリスト教勉強会がきっかけで洗礼を受けたのですが、子どものころ宗教に関係なく食事をする前に「神さま、仏さま」と手を合わせてからいただく、という習慣はありました。親元を離れてその習慣がなくなっても心の中に漠然とした「神さま」はいらっしゃったのでしょう。そんなとき勉強会で聞いた神父さまのことばに、私の「神さま」を見つけたと思えたのです。

最近男性がキリスト教の勉強に通うというのは、自分の中に小さいころから形にならないままあった何かを追い求めている、探しているからかもしれません。

ネラン　私も、食事のときに手を合わせて「いただきます」というのを初めて日本で見て感心しましたよ。特別な宗教というわけではなく、みんなが習慣としていますよね。これにはとても驚きました。

ところが、さらに驚いたのは日本人の宗教観。私は五十年の間にお坊さん以外の、一般の日本人で本当に仏教の信仰のある人たちにほとんど出会ったことがない。これは驚くべきことですよ。あとの人たちは儀式として仏教に参加している。結婚式は神道で、葬式は仏教で……　日本でこれができるのは宗教がそれぞれ儀式の役割分担をしているからで、ヨーロッパの人間には考えられません。これは根本的な日本の文化なのでしょうね。

日本の宗教で大切なのは信じる人の心構え。しかし私たちがReligionというとき重要なのは、信仰の対象なのです。

牧口　確かに、私たちの父親の会で神父さま方に講話をお願いするとき、いちばん人気があるのは倫理的な話、キリスト教をもとにした生き方、考え方の話です。

ネラン　日本では宗教はやはり道徳体系の一つなのです。もっと当たり前の日本語で語れるようになるとキリスト教の本質も自然に受け入れられるようになるかもしれません。

例えば「原罪」という表現。もし「原罪とは煩悩（ぼんのう）である」というならばとてもわかりやすいでしょう。でも、キリスト教のいうアダムとエバのりんごの話となると、これは非常に理解しにくくなります。

「お恵み」とか「三位一体」も同様です。これらは考えるために必要な概念ではあるけれど、「概念」で終わってしまってはいけません。その後ろに「存在するもの」があるはずです。目に見えない神、目に見えない「復活したキリスト」を信じるキリスト教は、その存在を日本人の心に日本語で説明できなければいけません。

しかしだからといって、日本人がキリスト教を受け入れるために〝日本的なキリスト教〟をつくればいいというものではない。普遍的なキリスト教が日本語になるために、今の日本に欠けているものは知識や道徳ではなく、哲学なのかもしれないですね。しかし、世界でも有数の難解な言語である日本語で哲学を語るのはとても難しいと思います。

牧口　神父さまは著書の中で、遠藤周作をパウロの弟子としてとても評価していらっしゃいますね。

ネラン　そうです。彼のことは宣教者として本当に尊敬しています。宣教でいちばん大切なことは、自分がキリストを信じ、その信仰をいかに伝えるかという問題です。遠藤周作は熱心な教会委員ではありませんでしたが、熱心な信者でした。キリストを信じ、自分の立場で、自分のことばで、多くの人にキリストを伝えました。

彼のおかげでキリスト教について興味をもった人、また洗礼を受けた人はたくさんいます。二十世紀後半の日本における第一の宣教者は間違いなく遠藤周作でしょう。

五十年で変わったことは……

牧口　ネラン神父さまはこの五十年、戦後から高度経済成長期を経てバブルの崩壊まで見ていらしたわけですが、日本の男性にどのような変化があったと思われますか。

ネラン　五十年前に私が来たとき、戦後の日本は実際に貧しかった。あのころの日本人は生きていくということが大変でした。そしてバブルがきて、いつの間にか日本人は『何とかなるだろう』と考えるようになってきました。それは日本人の中に生まれた新しい感覚だったと思います。バブルが崩壊しても、お金が無くなったかというと、例えばお正月には今でも多くの人が海外へ出かけていくでしょう。その人数が減ったわけではない。実際にお金が無くなる以上に、貧しいことに対して臆病になっているのではないですか。

一つの例がありますよ。「エポペ」を始めたころ、開店前にいくら千円札を準備していても、すぐに足りなくなりました。支払い金額が二千円でも三千円でも、お財布から簡単に一万円札が出てきたのです。

ところがいつの間にか、三千円の支払いにお客さまは千円札を一枚二枚、三枚、と数えてきっちり払われるようになった。変わったとすれば、それはあくまでも心の持ち方の問題だと思います。気持ちが臆病になったということはあるかもしれませんね。

牧口　日本の男性も根本的には変わっていないのでしょうか。

ネラン　どうでしょうかね……　そうそう、いちばん変わったことがある。この五十年、日本人の歯はとても丈夫になりました。虫歯が少なくなったでしょう。これからは歯医者さんも大変ですよ。

（構成／『カトリック生活』編集部　金澤康子）

【編者註】ネランさんは生前、「神父様」という呼び方を極力避けるよう願っていました。しかし右のインタビュー記事では当時の慣習に鑑み、引用元の雑誌原文表記をそのまま転載させていただきます。

これからも道化師を演じます
――自著の出版記念パーティー挨拶から

【編者註】作家・遠藤周作氏が１９５９年に発表した小説『おバカさん』の中で、主人公ガストンのモデルとなったのがネランさん。１９８８年に単行本『おバカさんの自叙伝半分』（講談社）を上梓したネランさんは、その出版祝賀パーティーで、来賓の遠藤氏がスピーチしたあと壇上に上がり、次のように語りました。

ピカソやルオーも描く「道化師」

遠藤周作さんのあとで喋（しゃべ）るのは恥ずかしいよ。あの巧いスピーチには負けますネ……（会場、爆笑）本日はこんなに大勢の皆さんに集まっていただき、心から感激、感謝しています。

まずは単行本『おバカさんの自叙伝半分』の出版にあたって、いろいろと取り計らってくださった遠藤周作さんにお礼を申し上げたい。『おバカさん』の作者である遠藤さんのお話は、非常に面白かったと思います。

ただ、ちょっと弁解したいのですが、私がややもすれば「あなたはどう思いますか」と議論を吹きかけたがる、と遠藤さんから指摘を受けました。でもね、それは議論のための議論ではなく、やっぱり私は人々と対話したいのですよ。だからそういう形式をとっています。お見受けしたところ、遠藤さんも対談が大好きじゃないかと思いますし、似た者同士ですね（笑）。それはともかく、この本のために協力してくださった出版社の方、イラストの方、ありがとうございました。

ここで、タイトルにもなっている『おバカさん』について一言述べておきます。遠藤さんがその著書の中で、モデルとなった私に「おバカさん」という名前をつけたのは、宣教師冥利に尽きると思っていますよ。これ以上ふさわしい呼び名はないのではないかと、最近つくづく考えています。

キルケゴールはどこかで、「宣教師は道化師に似ている」と書きました。つまり『宣教師は面白がられるかもしれないが、真剣に受け入れられることはない』という意味です。昔、ヨーロッパの王様の傍には必ず道化師がいました。そして時々、意味深いモノ言いをしました。現代の画家——たとえばピカソやルオーなど——のモチーフにも、「道化師」はよく現われています。そう見てくると、道化師は一種の魅力をもっているようです。

折が良くても悪くても

現代の〝発展著しい日本〟の人々にキリスト教を述べ伝えようとする宣教師は、道化師そのもののように思われます。平和と繁栄を満喫している今日の日本人に、こと改めて「救いをもたらすキリスト教」を宣べるのは、まったく無駄ではないでしょうか。いつも「明日のこと」「将来のこと」「前進また前進」と考える日本人にとって、2000年前のキリストの話は、古臭くてカビが生えているのではないでしょうか……

そうであるにもかかわらず、キリスト教が真実だから、私はそのキリスト教を述べ伝えることを辞めるつもりはまったくありません（拍手）。

パウロはその弟子の一人に「福音を述べなさい。折が良くても悪くても、宣教に励みなさい」と言っています。私はこれからも、道化師役を演じ続けようと思います。

最後に、このパーティーを提案し実現してくださった、お世話役の方々に、心からお礼を申し上げたいと思います。本当にありがとうございました。

編集後記

信徒の覚醒と自立へ、励まし続けた異色の司祭

ネラン塾ＯＢ・ＯＧ会 世話役／ネラン師遺稿集編集委員（総務担当） 米田友義

私はこれまで多くの司祭と関わってきたつもりだが、ジョルジュ・ネラン師ほど異彩を放つ神父をほかに知らない。

ネランさん（ネラン塾出身者の誰もがそう呼ぶように、親しみを込めてそう呼ばせていただく）は１９２０年生まれ。フランス・リヨン出身で3年の陸軍中尉を経て一転、司祭の道へ。30歳で海外宣教師を養成するベルギーの神学校を卒業して司祭に叙階され、１９５２年に来日。以来、２０１１年に帰天するまで60年間、日本で宣教一筋の生涯を送った。

他にもあるだろうが私の知る限り、特筆すべきネランさんの軌跡は二つだ。ひとつは、都内の国・公・私立大学にある「カトリック研究会」で指導司祭を務める傍ら、キリストを知らない学生を広く集めた私塾「ネラン塾」を主宰したことである。

ネラン塾は１９６２年から4年半の間だけ東京・お茶の水に開講されたが、東京と周辺地域から学生たちが集まり、毎週各一回の「討論」と「講義」で盛り上がった。私も同塾出身者のひとりで、年2回の秋川荘合宿や東北八幡平での夏期合宿の楽しさが、今でも忘れられない。

ネランさんは決してキリスト教の押売りや安売りをしなかった。本人の自覚を促し、信仰の芽生えを気長に待つのである。そのためにはどんな労力も惜しまなかった。当時、私の下宿にも2、3度足を運んでくれたし、東京から遥か離れた北陸の実家に私が帰省中、ネランさんが突然現われたことがあって驚嘆したものだ。私は大学4年次のクリスマスに受洗した。塾開講中にネランさんから受洗の恵みを頂いた学生は100人近くに上る。

特筆すべき軌跡の二つ目は、ネランさんが「スナックバー」を開き、20年以上も運営し続けたことである。実はネランさんが「塾」を閉じたのは、学生との間に歳の差を痛感したからだった。思案したあげく、ネランさんはサラリーマン相手の宣教に踏み出した。サラリーマン相手の対話をしたければ〝腹蔵なく話のできる環境〟が大事だ――そう気づいたネランさんは、東京砂漠の中でも最もキリストから遠いと思われる新宿・歌舞伎町に、スナックバー「エポペ（フランス語で『美しい冒険』の意）」を開く。1980年、ネランさんが60歳にして迎える新しい船出だった。

ネラン師がバーを開いたのには理由がある。日本のサラリーマンは酒が入らないと本音を吐かないことを見抜いていた。酒が入ると少しずつ口を開き、興が乗ってくると口も軽やかになるから、キリスト教の話も円滑に進む、というわけだ。

学生から一般サラリーマンへ――ネランさんが果たした〝宣教ターゲットの転換〟に、師の相談を受けた関係者の多くが反対した。それはそうだろう、神に仕える身の聖職者が夜の繁華街で酒客商売、と聞くだけで拒否反応を起こすのは当然だ。

しかし中で、作家・遠藤周作氏だけは反対しなかった。紹介が前後するが、ネラン師と遠藤氏との間には浅からぬ縁がある。遠藤氏は戦後初の日本人留学生として三雲昴氏（その後、筑波大教授）や井上洋治氏（その後、東京大司教区司祭）らと共に渡仏したが、一行を受け入れた〝ホームステイ〟先がネランさん宅だったのである。ネランさんは来日後も遠藤氏と生涯にわたる親交を結んだ。遠藤氏の代表作のひとつとなった『おバカさん』の主人公・ガストンは、ほかならぬネラン師がモデルである。

話を戻すと、ネランさんが「エポペ」に関わった30年間に洗礼を授けたサラリーマンは教師、公務員、企業経営者など多士済々で、こちらも70人以上を数える。しかしそれ以上に大きかった成果は、歌舞伎町や新宿2丁目の住人の中にたくさんの「キリストファン」が生まれ、彼らがネランさんを〝オヤジ〟と慕って「エポペ」の扉を押し開いたことだろう。ネランさんは毎晩、シェーカーを置きカウンター席に出て、その一人ひとりと肩を並べて座り、とことん話し込んだ。

結論的に「宣教師ジョルジュ・ネラン」を一口で表現すれば〈日本人への宣教に生涯を捧げ、高度経済成長に浮かれる日本社会で『真の生き甲斐』を説き続けた司祭〉ということになるだろう。第2バチカン公会議の実りが日本の教会内でさまざまに受け止められていた時代にあって、〈その実りを根付かせるため思索と活動に献身した一流の神学者〉という〝顔〟をも併せ持つネランさんだが、そちらの分野に関して、不勉強な筆者は多くを知らない。来日数年で神学研究叢書『ろごす』をシリーズで世に送り出したが、同シリーズは今日なお、神学生や若い司祭の必読書だという。『キリスト論』『キリストの復活』など神学書も数多く上梓している。

ネランさんは物事を曖昧にすることを極端に嫌った。相手が誰であっても、正面から本質論を挑む。その言動は時として周囲の反発や誤解を生んだが、師は自説を曲げることをしなかった。師の信念は揺るがないのである。

そのネランさんの口ぐせは、「宣教と司牧は決定的に違う」だった。「司牧の対象が信者であるのに対して、宣教の対象は未信者である。これを混同してはいけない」と、ことあるごとに強調した。師の日本での実体験がそう言わせたのだと思う。

といってネランさんは単純な頑固親父ではなかった。日本とフランスの文化交流の懸け橋となっている「渋沢・クローデル賞」の日本側選考委員を長年務めた実績から分かるように、ひとかどの芸術・文化人でもある。

学生時代からネランさんが亡くなるまでの約50年、私は師に従って生きて来た。交流の日々を思い返すと、師の期待に応えられなかった自分の無力は明らかで、申しわけない限りだ。師は塾生OB・OGのために『ユートピア』という小冊子を遺した。いわば私たちがなすべき「サラリーマン相手の宣教」の、凝縮された手引書である。師は福音書の「72人を派遣したキリスト」のイメージを、塾生OB・OGに託したのかもしれない。

手引書を渡された私は、それ以来、ことに触れてネランさんから発破をかけられることの連続で、正直、〝現実〟という壁の前で苦悶する場面も少なくなかった。『ユートピア』の全文は本書の中に収録されているが、一読された諸兄姉の思いはいかがだろうか。できれば本書に目を通された諸兄姉とご一緒に、ネランさんの期待に応えたいと願っている。

【解説】ネラン師の願い
――キリストの尊い志を理解して引き継ぐために

阿部仲麻呂

ジョルジュ・ネラン師（Georges Neyrand, 一九二〇―二〇一一年）は、日本の土地で生きるあらゆる人の兄として、父親として、祖父として、常に家族のきずなを深めて「同行二人」してくれた大恩人です。いまは、たしかにネラン師の姿は私たちの眼には見えません。しかし、ネラン師が見えないように姿を隠しながらも、いまでも私たちのそばにいっしょにいてくれる心強い味方であることには決して変わりはありません。ネラン師と出会った皆様は、いまもともに歩んでくださる師匠の心意気に気づいて、貴重な呼びかけの言葉の数々を単行本化する努力を積み重ねました。その仕儀は、まさにネラン師との心のひびき合いを今日もたしかに実感していることに由来しています。

ネラン師がこの地上での生活を過ぎ越して、さらに次の段階の新たないのちの生活へと前進している現実を想うにつけ、遺された私たちは彼の志を引き継いで後につづく決意を新たにせざるをえません。ひとりの宣教師がいのちがけで身を捧げ尽くしてキリストを伝えたこの日本の土地は、まごころのこもった愛情の種を宿しているのです。もはや無味乾燥な不毛の土地ではなく、いまやいのちのいぶきの満ちあふれるいこいの緑地帯にまで成長しているのです。皆様ひとりひとりの個性あふれる愛情のふるまいがネラン師の心からの呼びかけを種として、たしかに実り豊かに若葉をゆらめかすいこいの環境を拡げているのです。

キリストを伝えること。ただ、それだけです。それこそが宣教の大義です。キリストの愛情深いおもいを日本の土地に種まくことで、日本という環境そのものをいこいの場に洗練させることをネラン師が目指していました。彼の願いはキリストを日本に伝えることでした。本書は「キリストを伝えるための核心とヒント」と銘打たれています。ここにネラン師の願いが見事に引き継がれています。こうした題名を選んだ編集企画者の手腕をまのあたりにするにつけて、ネラン師の願いは今日もたしかに廃(すた)れることなく実りを結んでいることがわかるのです。

それでは本書全体の構成を眺めておきましょう。ネラン師はキリストが誰であるかを深く研究しており、「キリストのおもいを理解すること」を第一の課題としているとともに、第二の課題として「キリストのおもいを生きること」（キリストのおもいを引き継ぐ実践、あかし、宣教）を目指しています。その際、第一の課題は序章から第1章を経て第2章へと深められており、第二の課題は第3章全体で方向づけられています。個々の記事が二つの課題に集約されることで、私たちも、（1）キリストと出会って生き方が高められてから↓（2）キリストの志を引き継いで生きる積極的な活躍へと後押しされることになります。そのような全体の図式を見事に浮かび上がらせる編集の工夫をされた企画編集者の方々の努力には感心させられます。ネラン師のおもいをじゅうぶんに理解して実現しているからです。

ともかく、ネラン師の次の言葉はキリストとの関わりの奥深い実感を伝えてくれます。「2000年前に生きていたキリストが今もなお、神の子として生きている――という信仰が、キリスト教の土台です。言い換えれば、『十字架上で死んだキリストは、今でも生きている』ということであり、これこそがキリスト教の中心です」（本書「まえがきに代えて」）。「キリストは生きている」という本音を本気でかみしめて生きることがキリスト者の最大の使命であることがじゅうぶんに伝わります。この本筋正しい実感は教皇フランシスコによる『キリストは生きている』という使徒的勧告の呼びかけとも軌を一にします。活けるキリストとともに前進するのがキリスト者の生き方なのです（教皇フランシスコが現在、キリストとともに生きることを世界中のキリスト者に再確認させるべくシノドスを開催していることでもわかります）。

ネラン師の原稿をゆっくりと読み返していると、その内容の神学的な正確さと同時に独創的な説明上の工夫とに感嘆させられます。「この人は大変よく神学の理論を学んで使いこなしている、しかも誰にでもわかりやすく説明しなおしている」と。それは、モーツァルトのピアノ協奏曲第二三番の軽快かつ悲哀に満ちた、矛盾する現実を同時に重ね合わせて調和させることで聞き手の心を激しくゆさぶるメロディーを彷彿(ほうふつ)とさせます。

二〇二三年十一月三〇日　使徒アンドレアの祝日に

（あべ・なかまろ　神学博士、東京カトリック神学院教授、学校法人サレジオ学院常務理事）

■G・ネラン神父遺稿集 Ⅰ

遠藤周作が「おバカさん」と呼んで敬愛した宣教師と、
生き甲斐を求める若者たちは、私塾で議論を交わした

ネラン塾へようこそ

――あなたも自分の価値観を問い直してみないか――

■本書中で議論された主なテーマ

進化　自由　民主主義　労働　「日本的」　国際的視野　美　希望と絶望　良心　普遍の真理　愛　人生の目的／ほか

著者／ジョルジュ・ネラン
© George・Neyrand 2023

編集／ネラン塾ＯＢ・ＯＧ会有志による制作委員会
発行／㈱フリープレス　　定価／本体2,500円＋税

キリストの魅力を隣人に伝えたい――　市井で宣教したいあなたに
ネランさんが贈る知恵袋。これを座右に置けば、今日から宣教者！

サラリーマン神学のすすめ

「父なる神」「神のひとり子であるキリスト」「あなたを励ます聖霊」を知ろう

日本という〈信仰が豊かに育つ沃野〉にも、真の生き甲斐を求める人が少なくない。隣人に〈生きているキリスト〉の姿を伝えることが、あなたに求められている。ネランさんは本書で、遺稿集１～２巻を理論づける神学の中核を分かり易く解説する。信徒が宣教の第１歩を踏み出すとき必携の１冊！

著者／ジョルジュ・ネラン
© George・Neyrand 2023

編集／ネラン塾ＯＢ・ＯＧ会有志による制作委員会
発行／㈱フリープレス　　定価／本体1,500円＋税

■G・ネラン神父遺稿集 Ⅲ

一本化しました。そのため本書中のタイトル、見出しは必ずしも一致していません。ご了承ください。

本書への遺稿掲載を快く承諾されたネラン師著作権継承者であるドミニク・ネラン様、カトリック東京大司教区様、ならびに原典の各版元様・編集元様・個人の皆さまに感謝申し上げます。

ネラン神父遺稿集②――※編集者註:同一テーマについて複数の原稿がある場合、本書内では編者が

本書に収載した原資料の出典 一覧

(出典元の後ろに記載の数字は発表年月日)

凡例(アルファベット略記号)…元原稿の出所名

P……ネラン塾討論資料プリント(年一期)
M……「お茶の実」→ネラン塾生通信(前期)
K……「お茶の木」→同上(後期)
O……「塾生ＯＢ通信」
S……「真生会館通信講座」への執筆原稿
ＥＮ…「エポペニュース」(季刊)
N……ネラン師所蔵原稿のうち塾生ＯＢらに公表を託されていた塾内発表済みの原稿
未……未発表稿→塾生ＯＢらにネラン師が公表を託していた外部未発表の原稿
寄……雑誌・冊子類への寄稿文、講演、説教稿

■ネラン塾OB・OG会　**本書制作スタッフ紹介**（50音順）

安部毅一（あべ・きいち）1967年、中央大学卒。中小企業経営研究会入社。編集部門の分離独立に伴い㈱中経出版設立に参画。同社書籍編集長を経て代表取締役。2009年角川グループHDのグループ会社・取締役を経て翌10年、代表取締役に（〜12）。ネラン塾３期生。

宮地國男（みやち・くにお）1965年、明治大学卒。長野県教職員として、県立軽井沢高校を振り出しに40年間、教職員生活を全うした。ネラン塾１期生。23年6月2日、本書制作中に帰天。

山内継祐（やまうち・けいすけ）1965年、中央大学卒。主婦の友編集局を経て講談社、文藝春秋などでフリーランス記者。ネラン師のスナック「エポペ」で初代社長を務めた。ネラン塾共同創設者。現在、株式会社フリープレス社長。

米田友義（よねだ・ともよし）1965年明治大学卒。北日本新聞社広告部を経て63年、聖母の騎士社「カトリックグラフ」編集部。同誌休刊に伴い㈱雅叙園に転じ社長室長を務めた。ネラン塾１期生。

キリストを伝えるための核心とヒント　定価（本体 2,000 円＋税）

初版発行日　2023（令和５）年 12 月 25 日（初版）

著　　者　ジョルジュ・ネラン
編　　者　ネラン塾 OB・OG 会　編集委員会
編 集 人　安部　毅一
編 集 所　「ネラン神父遺稿集」刊行事務局
〒 350-0805 川越市広谷新町 5-4 米田方
発 行 人　山内　継祐
発 行 所　株式会社 フリープレス
〒 355-0065　埼玉県東松山市岩殿 1103-51
☎ 0493-77-1905　Fax 0493-77-4583
e-mail　info@freepress.co.jp
印 刷 所　モリモト印刷 株式会社
販 売 所　株式会社 星雲社（共同出版社・流通責任出版社）
ISBN 978-4-434-33380-4

乱丁・落丁は発行所にてお取り替えいたします。